春秋經傳集解定上第二十七 定公名宋襄公之子昭公之弟諡法安民大慮曰定

杜氏 盡七年

經元年春王 公之始年而不書正月公即位在六月故 ○三月晉人執宋仲幾于京師 晉執人于天子之側而不以歸京師故但書其執不書所歸 (幾)音機 ○夏六月癸亥公之喪至自乾侯 告於廟故書至 ○戊辰公即位 定公不得以正月即位失其時故詳而日之記事之宜無義例 ○秋七月癸巳葬我君昭公 公在外薨故八月乃葬 ○九月大雩 無傳過也 (雩)音于 ○立煬宮 煬公伯禽子也其廟已毀季氏禱之而立其宮書以譏之 (煬)羊讓切 (禱)丁老切 ○冬十月隕霜殺菽 無傳周十月今八月隕霜殺菽非常之災 (隕)于敏切 (菽)本又作叔音同

傳元年春王正月辛巳晉魏舒合諸侯之大夫于狄泉將以城成周魏子涖政 涖臨也代天子大夫為政 (涖)音利又音類 衛彪傒 衛大夫 曰將建天子立天子之居 而易位以令非義也大事奸義必有大咎晉不失諸侯魏子其不免乎是行也魏獻子屬役於韓簡子及原壽過 簡子韓起之孫不信也原壽過周大夫 (奸)音干 (令)其丸切 (屬)之欲切 (過)古禾切 而田於大陸焚焉 禹貢大陸在鉅鹿北焚嫌絶遠疑此田在汲郡吳澤荒蕪之地火田并見燒也 (蕪)音無 還卒於甯 甯今脩武縣近吳澤 (近)附近之近 范獻子去其柏槨以其未復命而田也 范獻子代魏子為政去其柏槨示貶之 (去)起呂切 (槨)音郭 孟懿子會城成周 不書公未即位 庚寅栽 栽設板築 (栽)才代切又音再 宋仲幾不受功曰滕薛郳吾役也 欲使三國代宋受功役也郳小邾 (郳)五兮切 薛宰曰宋為無道絶我小國於周以我適楚故我常從宋晉文公為踐土之盟 在僖二十八年 曰凡我同盟各復舊職若從踐土若從宋亦唯命仲幾曰踐土固然 固曰從舊薛舊為宋役 薛宰曰薛之皇祖奚仲居薛以為夏車正 皇大也奚仲為夏禹掌車服大夫 (夏)戶雅切 奚仲遷于邳 邳下邳縣 (邳)皮悲切 仲虺居薛以為湯左相 仲虺奚仲之後 (虺)許鬼切 (相)息亮切 若復舊職將承王官何故以役諸侯 承奉也 仲幾曰三代各異物薛焉得有舊 言居周世不得以夏殷為舊 (焉)於虔切 為宋役亦其職也士彌牟曰晉之從政者新 言范獻子新為政未習故事 子姑受功歸吾視諸故府 求故事 仲幾曰縱子忘之山川鬼神其忘諸乎 山川鬼神盟所告 士伯怒謂韓簡子曰薛徵於人 典籍故事

[illegible]

春秋經傳集解定公第二十七　杜氏　盡十年

人所知也宋徵於鬼取諸於鬼神宋罪大矣且巳無辭而抑我以神誣我
也啟寵納侮其此之謂矣開寵過分則納受侵侮(侮)亡甫切(分)扶問切必以仲幾爲
戮乃執仲幾以歸三月歸諸京師知以歸不可故復歸之京師(復)扶又切城三旬
而畢乃歸諸侯之戍齊高張後不從諸侯後期不及諸侯之役晉女叔寬
曰周萇弘齊高張皆將不免叔寬女寬也(萇)直良切萇叔違天高子違人
天既厭周德萇弘欲遷都以延其祚故曰違天諸侯相帥以崇天子而高子後期故曰違人(厭)於豔切(相)才故切天之
所壞不可支也衆之所爲不可奸也爲哀三年周人殺萇弘六年高張來奔起○夏
叔孫成子逆公之喪于乾侯成子叔孫婼之子季孫曰子家子亟言於
我未嘗不中吾志也吾欲與之從政子必止之且聽命焉衆士皆詣
問子家子(亟)起冀切(中)丁仲切子家子不見叔孫易幾而哭幾哭會也不欲見叔孫故朝夕哭不
同會如字(辟)叔孫請見子家子子家子辭曰羈未得見而從君以出
出時成子未爲卿(羈)居宜切子家子名(見)賢遍切下同(從)才用切注義從同又如字下從君從公放此君不命而
薨羈不敢見言未受昭公之命託辭以距叔孫叔孫使告之曰公衍公爲實使

羣臣不得事君二子始謀逐季氏若公子宋主社稷則羣臣之願也宋昭
公弟定公凡從君出而可以入者將唯子是聽子家氏未有後季孫
願與子從政此皆季孫之願也使不敢以告不敢叔孫成子名對曰若
立君則有卿士大夫與守龜在羈弗敢知若從君者則貌而出
者入可也貌出謂以義從公與季氏無實怨(守)手又切寇而出者行可也與季氏爲寇讎者自
可去若羈也則君知其出也君昭公而未知其入也羈將逃也喪及
壞隤公子宋先入從公者皆自壞隤反出奔(壞)徐音懷又戶怪切(隤)徒回切六月
癸亥公之喪至自乾侯戊辰公即位諸侯薨五日而殯殯則嗣子即位癸亥昭公喪至五
日殯於宮定公乃即位季孫使役如闞公氏將溝焉闞魯羣公墓所在也季孫惡昭公欲溝絕
其兆域不使與先君同(闞)口暫切(惡)烏路切又如字榮駕鵞曰生不能事死又離之以自
旌也駕鵞魯大夫榮成伯也旌章也(駕)音加(鵞)五何切(旌)音精縱子忍之後必或恥之乃止
季孫問於榮駕鵞曰吾欲爲君謚使子孫知之爲惡謚對曰生弗
能事死又惡之以自信也將焉用之乃止秋七月癸巳葬昭公

於墓道南孔子之爲司寇也溝而合諸墓明臣無貶君之義惡如字又烏路切爲於虞切○昭公出故季平子禱于煬公九月立煬宮平子逐君懼而請禱於煬公昭公死於外自以爲獲福故立其宮○周鞏簡公棄其子弟而好用遠人鞏簡公周卿士遠異族也爲明年鞏氏賊簡張本鞏九勇切好呼報切

經二年春王正月○夏五月壬辰雉門及兩觀災無傳雉門公宮之南門兩觀闕也天火曰災觀古亂切○秋楚人伐吳囊瓦稱人見譏以敗軍囊乃郎切○冬十月新作雉門及兩觀無傳

傳二年夏四月辛酉鞏氏之羣子弟賊簡公傳言棄親用疏所以敗也○洞叛楚桐小國廬江舒縣西南有桐鄉吳子使舒鳩氏誘楚人舒鳩楚屬國曰以師臨我使以師臨吳欲誘楚我伐桐爲我使之無忌吳伐桐也僞若畏楚師之臨己而爲伐其叛國以取媚者也欲使楚不忌吳所謂多方以誤之誤五故切秋楚囊瓦伐吳師于豫章從舒鳩言吳人見舟于豫章僞將爲楚伐桐見賢遍切而潛師于巢實欲以擊楚冬十月吳軍楚師于豫章敗之楚不忌故遂圍巢克之獲楚公子繁繁守巢大夫○邾莊公與夷射姑飲酒私出射姑邾大夫出酒射音亦一音夜閽乞肉焉奪之杖以敲之奪閽杖以敲閽頭也爲明年邾子卒傳閽音昏守門人敲苦孝切又苦學切說文作敂云擊頭也字林同又一曰擊聲也口交切又口卓切訓此敲云橫擿也又或作𢺷或作敂口交切

經三年春王正月公如晉至河乃復無傳○二月辛卯邾子穿卒再同盟穿音川○夏四月○秋葬邾莊公六月乃葬緩○冬仲孫何忌及邾子盟于拔拔地闕拔皮八切

傳三年春二月辛卯邾子在門臺門上有臺臨廷閽以缾水沃廷邾子望見之怒閽曰夷射姑旋焉旋小便廷音庭步丁切本又作瓶命執之不見其絜射姑弗得滋怒自投于牀廢于鑪炭爛遂卒廢隋也鑪力吳切爛力旦切隋徒火切先葬以車五乘殉五人欲藏中之絜故先內車及殉別爲便房蓋其遺命殉辭俊切藏才浪切絜悉薦切又如字乘繩證切莊公卞急而好潔故及是卞躁疾也卞皮彥切好呼報切躁早報切○秋九月鮮虞人敗晉師于平中平中晉地獲晉觀虎恃其勇也爲五年士鞅圍鮮虞張本○冬盟于郯郯即拔也郯音談脩邾好也公即位故脩好○蔡昭侯爲

兩佩與兩裘佩佩玉也以如楚獻一佩一裘於昭王昭王服之以享
蔡侯蔡侯亦服其一子常欲之弗與三年止之唐成公如楚有
兩肅爽馬子常欲之成公唐惠侯之後肅爽駿馬名（肅）如字又所六切（爽）音霜（驦）音俊弗與亦
三年止之唐人或相與謀請代先從者許之飲先從者酒醉之
竊馬而獻之子常子常歸唐侯自拘於司敗竊馬者自拘（從）才用切（飲）於鴆切（拘）
九于切曰君以弄馬之故隱君身隱憂約也（弄）魯貢切棄國家羣臣請相夫
人以償馬必如之相助也夫人謂養馬者（相）息亮切（夫）音扶（償）市亮切唐侯曰寡人之過
也二三子無辱皆賞之蔡人聞之固請而獻佩于子常子常朝
見蔡侯之徒命有司曰蔡君之久也官不共也言楚所以禮遺蔡侯之物不共
備故（共）音恭明日禮不畢將死遺蔡侯之禮蔡侯歸及漢執玉而沈曰余
所有濟漢而南者有若大川自誓言若復渡漢當受禍明如大川（沈）音鴆（復）扶又切蔡侯
如晉以其子元與其大夫之子為質焉而請伐楚為明年會召陵張本（質）音致
經四年春王二月癸巳陳侯吳卒無傳未同盟而赴以名癸巳正月七日書二月從赴○

三月公會劉子晉侯宋公蔡侯衛侯陳子鄭伯許男曹伯莒子
邾子頓子胡子滕子薛伯杞伯小邾子齊國夏于召陵侵楚於召
陵先行會禮入楚竟故書侵（夏）戶雅切（召）上照切（竟）音境○夏四月庚辰蔡公孫姓帥師滅
沈以沈子嘉歸殺之（姓）音生又作生○五月公及諸侯盟于皐鼬召陵會劉
子諸侯捴言之也繁昌縣東南有城皐亭後稱公者會盟異處故（鼬）由又切（復）扶又切（處）昌慮切○杞伯成卒
于會無傳（成）音城○六月葬陳惠公無傳○許遷于容城無傳○秋七月
公至自會無傳○劉卷卒無傳即劉蚠也劉子奉命出盟召陵死則天王為告同盟故不具爵（卷）音權又
眷免切（蚠）扶粉切（為）于僞切下為蔡同○葬杞悼公無傳○楚人圍蔡不服故也○晉士
鞅衛孔圉帥師伐鮮虞無傳孔圉孔羈孫士鞅即范鞅（圉）魚呂切○葬劉文公無傳○
冬十有一月庚午蔡侯以吳子及楚人戰于柏舉楚師敗績師能
左右之曰以皆陳曰戰大崩曰敗績吳為蔡討楚從蔡計謀故書蔡侯以吳子言能左右之也囊瓦稱人貪以致敗不能死難
罪賤之柏舉楚地昭三十一年傳曰六年十二月庚辰吳其入郢今以十一月者并數閏（陳）直覲切（難）乃旦切（數）所主切○
楚囊瓦出奔鄭書名惡之（惡）烏路切○庚辰吳入郢弗地曰入吳不稱子史略文

傳四年春三月劉文公合諸侯于召陵謀伐楚也（文公王官伯也晉人假王命以討楚之久留蔡侯故曰文公合諸侯）晉荀寅求貨於蔡侯弗得言於范獻子曰國家方危諸侯方貳將以襲敵不亦難乎水潦方降疾瘧方起中山不服（中山鮮虞潦音老瘧魚略切）棄盟取怨無損於楚（晉楚同盟伐之為取怨）而失中山不如辭蔡侯吾自方城以來楚未可以得志（晉敗楚侵方城在襄十六年）祇取勤焉乃辭蔡侯晉人假羽旄於鄭鄭人與之（析羽為旌王者遊車之所建鄭私有之因謂之羽旌借觀之祇音支旄音毛析星曆切）明日或旆以會（或賤者也繼旐曰旆令賤人施其旆執以從會示卑鄭旆步貝切旆音共令力呈切下令蔡同）晉於是乎失諸侯（傳言晉無禮所以遂弱）將會衛子行敬子言於靈公（子行敬子衛大夫）曰會同難（難得宜）嘖有煩言莫之治也（嘖至也煩言忿爭嘖仕責切一音責爭爭鬭之爭）其使祝佗從（祝佗大祝子魚佗徒河切從才用切下師從旅從同大音泰下大祝大卜大史大原同）公曰善乃使子魚子魚辭曰臣展四體以率舊職猶懼不給而煩刑書若又共二（共二職共音恭）徼大罪也且夫祝社稷之常隸也（隸賤臣也徼古堯切夫音扶）社稷不動祝不出竟官之制也（社稷動謂國遷竟音境）君以軍行祓社釁鼓（師出先有事祓禱於社謂之宜社於是殺牲以血塗鼓鼙為釁鼓祓音弗徐音廢釁許覲切鼙步西切本又作鞞）祝奉以從（奉社主也從如字又才用切）於是乎出竟若嘉好之事（謂朝會好呼報切）君行師從（二千五百人）卿行旅從（五百人）臣無事焉公曰行也及皐鼬（將盟）將長蔡於衛（欲令蔡先衛歃長丁丈切先悉薦切下先衛同歃所洽切又所甲切）衛侯使祝佗私於萇弘曰聞諸道路不知信否若聞蔡將先衛信乎萇弘曰信蔡叔康叔之兄也（蔡叔周公兄康叔周公弟）先衛不亦可乎子魚曰以先王觀之則尚德也昔武王克商成王定之選建明德以藩屏周故周公相王室以尹天下（尹正也藩方元切相悉亮切）於周為睦（睦親厚也以盛德見親厚）分魯公以大路大旂（魯公伯禽也此大路金路錫同姓諸侯車也交龍為旂周禮同姓以封分扶問切下並同路本亦作輅音路旂其依切錫星曆切）夏后氏之璜（璜美玉名夏戶雅切璜音黃）封父之繁弱（封父古諸侯也繁弱大弓名父音甫下武父同封父國名繁扶元切）殷民六族條氏徐氏蕭氏索氏長勺氏尾勺氏使帥其宗氏輯其分族將其類醜（醜眾也索素洛切勺市灼切輯音集）

傳四年春三月劉文公合諸侯于召陵謀伐楚也[illegible]晉荀寅求貨於蔡侯弗得言於范獻子曰國家方危諸侯方貳將以襲敵不亦難乎水潦方降疾瘧方起中山不服[illegible]棄盟取怨無損於楚[illegible]而失中山不如辭蔡侯吾自方城以來楚未可以得志祇取勤焉乃辭蔡侯[illegible]晉人假羽旄於鄭鄭人與之[illegible]明日或旆以會[illegible]晉於是乎失諸侯[illegible]將會衛子行敬子言於靈公曰會同難嘖有煩言莫之治也[illegible]其使祝佗從[illegible]公曰善乃使子魚[illegible]子魚辭曰臣展四體以率舊職猶懼不給而煩刑書[illegible]若又共二徼大罪也[illegible]且夫祝社稷之常隸也社稷不動祝不出竟官之制也[illegible]君以軍行祓社釁鼓祝奉以從於是乎出竟[illegible]若嘉好之事君行師從卿行旅從臣無事焉[illegible]公曰行也及皋鼬將長蔡於衛[illegible]衛侯使祝佗私於萇弘曰聞諸道路不知信否若聞蔡將先衛信乎萇弘曰信蔡叔康叔之兄也先衛不亦可乎子魚曰以先王觀之則尚德也昔武王克商成王定之選建明德以藩屏周[illegible]故周公相王室以尹天下於周為睦[illegible]分魯公以大路大旂[illegible]夏后氏之璜[illegible]封父之繁弱[illegible]殷民六族條氏徐氏蕭氏索氏長勺氏尾勺氏[illegible]使帥其宗氏輯其分族將其類醜[illegible]

又七入切以法則周公用即命于周即就也使六族就周受周公之法制是使之職事

于魯共魯公之職事共音恭下共王同以昭周公之明德昭顯也分之土田陪敦

陪增也敦厚也陪本亦作培同步回切祝宗卜史大祝宗人大卜大史凡四官備物典策典策春秋

之制策本又作冊亦作筴或作筴皆初革切官司彝器官司百官也彝器常用器彝羊之切因商奄之

民商奄國名也與四國流言或迸散在魯皆令即屬魯懷柔之迸彼評切令徐力呈切命以伯禽伯禽周公世子

時周公唯遣伯禽之國故皆以付伯禽而封於少皞之虛少皞虛曲阜也在魯城內少詩照切皞胡老切

虛起居切分康叔康叔衛之祖以大路少帛綪茷旃旌少帛雜帛也綪茷大赤取染草名也

通帛為旃析羽為旌綪七見切茷步貝切又音吠旃章然切大呂鍾名殷氏七族陶氏施氏繁

氏錡氏樊氏饑氏終葵氏封畛土略自武父以南及圃田之北

竟畛塗所徑也略界也武父衛北界圃田鄭藪名陶徒刀切繁步河切錡魚綺切畛之忍切一音真圃布五切本亦作甫田

塗音徒徑音經藪素口切取於有閻之土以共王職有閻衛所受朝宿邑蓋近京畿近附近之近下

近我同取於相土之東都以會王之東蒐為湯沐邑王東巡守以助祭泰山相息亮切蒐

所求切守手又切聃季授土聃季周公弟司空聃乃甘切陶叔授民陶叔司徒命以康誥

大三百七十五　左二十七　六

而封於殷虛康誥周書殷虛朝歌也皆啓以商政疆以周索皆魯衛山啓開也居殷故

地因其風俗開用其政疆理土地以周法索法也疆居良切注及下同分唐叔唐叔晉之祖以大路密

須之鼓密須國名闕鞏甲名鞏九勇切沽洗鍾名沽音孤洗息典切懷姓九宗職官五

正懷姓唐之餘民九宗一姓為九族職官五正五官之長長丁丈切下長衛同命以唐誥而封於夏

虛唐誥命篇名也夏虛大夏今大原晉陽也啓以夏政亦因夏風俗開用其政疆以戎索大原

近戎而寒不與中國同故自以戎法三者皆叔也而有令德故昭之以分物不然

文武成康之伯猶多而不獲是分也唯不尚年也管蔡啓商惎

閒王室惎毒也周公攝政管叔蔡叔開道紂子祿父以毒亂王室惎音忌閒閒廁之閒道音導王於是乎

殺管叔而蔡蔡叔周公稱王命以討二叔蔡放也上蔡素達切下蔡如字以車七乘徒七

十人與蔡叔車徒而放之乘繩證切其子蔡仲改行帥德周公舉之以為己卿

士為周公臣行下孟切見諸王而命之以蔡命為蔡侯見賢遍切其命書云王曰胡

無若爾考之違王命也胡蔡仲名若之何其使蔡先衛也武王之母

弟八人周公為大宰康叔為司寇聃季為司空五叔無官豈尚

[illegible]

年哉五叔管叔鮮蔡叔度成叔武霍叔處毛叔聃也曹文之昭也文王子與周公異母昭上饒切說又作紹
晉武之穆也武王子曹爲伯甸非尚年也以伯爵居甸服言小甸徒練切今將尚
之是反先王也晉文公爲踐土之盟衛成公不在夷叔其母弟
也猶先蔡踐土召陵二會經書蔡在衛上霸主以國大小之序也子魚所言盟載之次其載書云王
若曰晉重文公重直龍切魯申僖公衛武叔武蔡甲午莊侯鄭捷文公捷在接切齊潘
昭公潘普安切宋王臣成公臣本或作壬如林切莒期茲丕公也齊序鄭下周之宗盟異姓爲後丕普悲切
藏在周府可覆視也吾子欲復文武之略略道也覆芳服切而不正其
德將如之何萇弘說告劉子與范獻子謀之乃長衛侯於盟。
反自召陵鄭子大叔未至而卒晉趙簡子爲之臨甚哀曰黃父
之會在昭二十五年說音悅爲于僞切下爲沈同臨力鴆切父音甫夫子語我九言曰無始亂
無怙富無恃寵無違同無敖禮無驕能以能驕人語魚據切怙音戶敖五報切無
復怒復重也復扶又切無謀非德非所謀也無犯非義傳言簡子能用善言所以遂興。沈
人不會于召陵晉人使蔡伐之夏蔡滅沈秋楚爲沈故圍蔡伍

員爲吳行人以謀楚楚之殺郤宛也在昭二十七年員音云伯氏之族出
郤宛黨伯州犁之孫嚭爲吳大宰以謀楚楚自昭王即位無歲不有
吳師蔡侯因之以其子乾與其大夫之子爲質於吳冬蔡侯吳
子唐侯伐楚唐侯不書兵屬於吳蔡犂力兮切嚭普鄙切乾其連切質音致舍舟于淮汭吳乘舟從
淮來過蔡而舍之舍音赦置也又音捨棄也汭人銳切自豫章與楚夾漢豫章漢東江北地名夾古洽切
左司馬戌謂子常曰子沿漢而與之上下沿緣也緣漢上下遮使勿渡沿悅全切上
時掌切遮正奢切我悉方城外以毀其舟以方城外人毀吾所舍舟還塞大隧直轅
冥阨三者漢東之隘道隧音遂冥亡丁切本或作寘之鼓切阨於懈切本或作隘音同子濟漢而伐之
我自後擊之必大敗之既謀而行武城黑謂子常曰吳黑楚武城大夫
用木也我用革也用軍器不可久也不如速戰史皇謂子常楚人
惡子而好司馬史皇楚大夫司馬沈尹戌惡烏路切好呼報切若司馬毀吳舟于淮塞
城口而入城口三隘道之摠名是獨克吳也子必速戰不然不免乃濟漢
而陳自小別至于大別禹貢漢水至大別南入江然則此二別在江夏界陳直覲切下同夏戶雅切

三戰子常知不可欲奔知吳不可勝史皇曰安求其事求知政事難而逃
之將何所入子必死之初罪必盡說言致死以克吳可以免貪賄致寇之罪難乃旦切
十一月庚午二師陳于柏舉經所以書戰二師吳楚師闔廬之弟夫槩王晨
請於闔廬曰楚瓦不仁瓦子常名其臣莫有死志先伐之其卒必奔
而後大師繼之必克弗許夫槩王曰所謂臣義而行不待命者
其此之謂也今日我死楚可入也以其屬五千先擊子常之卒
子常之卒奔楚師亂吳師大敗之子常奔鄭史皇以其乘廣死
以戰死卒子忽切下同乘繩證切廣古曠切吳從楚師及清發清發水名將擊之夫槩王
曰困獸猶鬭況人乎若知不免而致死必敗我若使先濟者知
免後者慕之蔑有鬭心矣半濟而後可擊也從之又敗之楚人
為食吳人及之奔食而從之敗諸雍澨五戰及郢奔食食者走不陳故不在
戰數澨市制切己卯楚子取其妹季芊畀我以出涉雎雎水出新城昌魏縣東南至枝
江縣入江是楚王西走季面酈切楚姓畀必利切世族譜季芊畀我皆平王女也服云畀我季芊之字雎七餘切鍼尹

左二十七　八

固與王同舟王使執燧象以奔吳師燒火燧繫象尾使赴吳師驚却之鍼之林切燧音遂
庚辰吳入郢以班處宮以尊卑班次處楚王宮室子山處令尹之宮子山吳王子
夫槩王欲攻之懼而去之夫槩王入之入令尹宮也言吳無禮所以不能遂克左
司馬戌及息而還息汝南新息也聞楚敗故還敗吳師于雍澨傷司馬先敗吳師而身
被創創初良切初司馬臣闔廬故恥為禽焉司馬嘗在吳為闔廬臣是以今恥於見禽謂其
臣曰誰能免吾首吳句卑曰臣賤可乎司馬曰我實失子可哉
失不知子賢句古侯切三戰皆傷曰吾不可用也已句卑布裳剄而裹之
司馬已死剄取其首剄古頂切裹音果藏其身而以其首免傳言司馬之忠壯楚子涉雎
濟江入于雲中入雲夢澤中所謂江南之夢夢如字又音蒙王寢盜攻之以戈擊王
王孫由于以背受之中肩王奔鄖鍾建負季芊以從鍾建楚大夫中丁仲
切鄖音云從才用切下同又如字由于徐蘇而從以背受戈故當時悶絕鄖公辛之弟懷
將弒王曰平王殺吾父我殺其子不亦可乎辛蔓成然之子鬪辛也昭十四年楚
平王殺成然殺戒作弒申志切下我殺同蔓音萬辛曰君討臣誰敢讎之君命天也若

三戰，子常知不可，欲奔。史皇曰：安求其事，難而逃之，將何所入？子必死之，初罪必盡說。[illegible]

十一月庚午，二師陳于柏舉。[illegible] 闔廬之弟夫槩王晨請於闔廬曰：楚瓦不仁，其臣莫有死志，先伐之，其卒必奔；而後大師繼之，必克。弗許。夫槩王曰：所謂臣義而行，不待命者，其此之謂也。今日我死，楚可入也。以其屬五千先擊子常之卒。子常之卒奔，楚師亂，吳師大敗之。子常奔鄭。史皇以其乘廣死。[illegible] 吳從楚師，及清發，[illegible] 將擊之。夫槩王曰：困獸猶鬭，況人乎？若知不免而致死，必敗我。若使先濟者知免，後者慕之，蔑有鬭心矣。半濟而後可擊也。從之，又敗之。楚人為食，吳人及之，奔。食而從之，敗諸雍澨。五戰，及郢。[illegible]

己卯，楚子取其妹季羋畀我以出，涉雎。[illegible] 鍼尹固與王同舟，王使執燧象以奔吳師。[illegible]

庚辰，吳入郢，以班處宮。[illegible] 子山處令尹之宮，夫槩王欲攻之，懼而去之，夫槩王入之。[illegible]

左司馬戌及息而還，敗吳師于雍澨，傷。[illegible] 初，司馬臣闔廬，故恥為禽焉，謂其臣曰：誰能免吾首？吳句卑曰：臣賤可乎？司馬曰：我實失子，可哉！三戰皆傷，曰：吾不可用也已。句卑布裳，剄而裹之，藏其身，而以其首免。[illegible]

楚子涉雎，濟江，入于雲中。[illegible] 王寢，盜攻之，以戈擊王，王孫由于以背受之，中肩。[illegible] 王奔鄖。鍾建負季羋以從。[illegible] 由于徐蘇而從。[illegible] 鄖公辛之弟懷將弒王，曰：平王殺吾父，我殺其子，不亦可乎？[illegible] 辛曰：君討臣，誰敢讎之？君命，天也。若死天命將誰讎詩曰柔亦不茹剛亦不吐不侮矜寡不畏彊禦唯仁者能之（詩大雅言仲山甫不辟彊陵弱 茹音汝 矜古頑切）違彊陵弱非勇也乘人之約非仁也滅宗廢祀非孝也（弑君罪滅宗）動無令名非知也必犯是余將殺女鬬辛與其弟巢以王奔隨吳人從之謂隨人曰周之子孫在漢川者楚實盡之天誘其衷致罰於楚而君又竄之（竄匿也 知音智 女音汝 衷音忠 竄七亂切 匿女力切）周室何罪君若顧報周室施及寡人以獎天衷（獎成也 獎以政切）君之惠也漢陽之田君實有之楚子在公宮之北（隨公宮也）吳人在其南子期似王（子期昭王兄）逃王而己為王曰以我與之王必免隨人卜與之不吉乃辭吳曰以隨之辟小而密邇於楚楚實存之世有盟誓至于今未改若難而棄之何以事君執事之患不唯一人（一人楚王 亦切 難乃旦切）若鳩楚竟敢不聽命吳人乃退（鳩安集也 竟音境）鑪金初宦於子期氏實與隨人要言（要言無以楚王與吳并欲脫子期 鑪本又作鑄金名音盧氏也）王使見（王喜其意欲引見之以比王日且欲使盟）

隨人（見賢遍切 下注敢見同）辭曰不敢以約為利（此約謂要言也此一時之事非爲德舉故辭不敢見之 亦不肯爲盟主 如字又於妙切）王割子期之心以與隨人盟（當心前割取血以盟示其至心）初伍員與申包胥友（包胥楚大夫 包必交切）其亡也謂申包胥曰我必復楚國（報復也）申包胥曰勉之子能復之我必能興之及昭王在隨申包胥如秦乞師曰吳為封豕長蛇以荐食上國（荐數也言吳貪害如蛇豕 荐在薦切 數所角切）虐始於楚寡君失守社稷越在草莽使下臣告急曰夷德無厭若鄰於君疆埸之患也（吳有楚則與秦鄰 草莽舊作茻云交切今本多作莽莫蕩 厭於鹽切下同 埸音亦 疆居良切）逮吳之未定君其取分焉（與吳共分楚地 逮音代 分扶問切）若楚之遂亡君之上也若以君靈撫之世以事君（撫存恤也）秦伯使辭焉曰寡人聞命矣子姑就館將圖而告對曰寡君越在草莽未獲所伏（伏猶處也）下臣何敢即安立依於庭牆而哭日夜不絕聲勺飲不入口七日秦哀公為之賦無衣（詩秦風取其王于興師脩我戈矛與子同仇與子偕作 勺市灼切又音灼 爲于僞切 仇音求）九頓首而坐（無衣三章章三頓首）秦師乃出

死天命將誰讎詩曰柔亦不茹剛亦不吐不侮矜寡不畏彊禦
唯仁者能之 詩大雅 違彊陵弱非勇也乘人
之約非仁也滅宗廢祀非孝也動無令名非知也必犯
是余將殺女鬬辛與其弟巢以王奔隨吳人從之謂隨人曰周
之子孫在漢川者楚實盡之天誘其衷致罰於楚而君又竄之
周室何罪君若顧報周室施及寡人
以獎天衷君之惠也漢陽之田君實有之楚子在公
宮之北吳人在其南子期似王逃王而己為
王曰以我與之王必免隨人卜與之不吉乃辭吳曰以隨之辟
小而密邇於楚楚實存之世有盟誓至于今未改若難而棄之
何以事君執事之患不唯一人若鳩楚竟敢不
聽命吳人乃退鑪金初宦於子期氏實與隨人要言
王使見辭曰不敢以約為利王割子期之心以與隨人盟
初伍員與申包胥友其亡也謂申包胥曰我必復
楚國申包胥曰勉之子能復之我必能興之及昭王在隨
申包胥如秦乞師曰吳為封豕長蛇以荐食上國
虐始於楚寡君失守社稷越在草莽使下臣告急曰
夷德無厭若鄰於君疆埸之患也
逮吳之未定君其取分焉若楚之遂亡君之土也若以君靈撫之世以事君秦伯使
辭焉曰寡人聞命矣子姑就館將圖而告對曰寡君越在草莽
未獲所伏下臣何敢即安立依於庭牆而哭日夜不絕聲
勺飲不入口七日秦哀公為之賦無衣 詩秦風
九頓首而坐秦師乃出

爲明年包胥以秦師至張本

經五年春王三月辛亥朔日有食之 無傳 ○夏歸粟于蔡 蔡爲楚所圍飢乏故魯歸之粟 ○於越入吳 於發聲也 ○六月丙申季孫意如卒○秋七月壬子叔孫不敢卒 無傳 ○冬晉士鞅帥師圍鮮虞

傳五年春王人殺子朝于楚 因楚亂也終閔馬父之言 ○夏歸粟于蔡以周亟矜無資 亟急也亟紀力切 ○越入吳吳在楚也○六月季平子行東野 東野季氏邑行下孟切下桓子同 還未至丙申卒于房陽虎將以璵璠斂 璵璠美玉君所佩 佩本又作珮璵音餘璠音煩又方煩切斂力驗切 仲梁懷弗與 懷亦季氏家臣 曰改步改玉 昭公之出季孫行君事佩璵璠祭宗廟今定公立復臣位改君步則亦當去璵璠去起呂切 陽虎欲逐之告公山不狃不狃曰彼爲君也子何怨焉 不狃季氏臣費宰子洩也爲君不欲使僭狃女九切洩息列切爲于僞切僭子念切 既葬桓子行東野 桓子意如子季孫斯 及費子洩爲費宰逆勞於郊桓子敬之勞仲梁懷仲梁懷弗敬 懷時從桓子行輕慢子洩勞力報切下從父從王並同 子洩怒謂陽虎子行之乎 行遂懷也爲下陽虎囚桓子起 ○申包

左三十七　十

胥以秦師至秦子蒲子虎帥車五百乘以救楚 五百乘三萬七千五百人乘繩證切注同 子蒲曰吾未知吳道 道猶法術 使楚人先與吳人戰而自稷會之大敗夫槩王于沂 稷沂皆楚地沂魚依切 吳人獲薳射於柏舉 薳射楚大夫射食亦切又食夜切 其子帥奔徒 奔徒楚散卒卒子忽切 以從子西敗吳師於軍祥 楚地 秋七月子期子蒲滅唐 從吳伐楚故 九月夫槩王歸自立也以與王戰而敗 自立爲吳王號夫槩 奔楚爲堂谿氏 傳終言之谿苦兮切 吳師敗楚師于雍澨秦師又敗吳師吳師居麇 麇地名麇九倫切 子期將焚之子西曰父兄親暴骨焉不能收又焚之不可 前年楚人與吳戰多死麇中言不可并焚暴步卜切 子期曰國亡矣死者若有知也可以歆舊祀 言楚復則祭祀不廢歆許金切 豈憚焚之焚之而又戰吳師敗又戰于公壻之谿 楚地名 吳師大敗吳子乃歸囚闉輿罷闉輿罷請先遂逃歸 闉輿罷楚大夫請先至吳而逃歸言吳唯得楚一大夫復失之所以不克闉音因輿音餘又作與羊女切罷音皮復扶又切 葉公諸梁之弟后臧從其母於吳不待而歸 諸梁司馬沈尹戌之子葉公子高也吳入楚獲后臧之母楚定臧棄母而歸葉

針併切從如字又才用切葉公終不正視不義之○乙亥陽虎囚季桓子及公
父文伯文伯季桓子從父昆弟也陽虎欲爲亂恐二子不從故因之父音甫而逐仲梁懷冬十月
丁亥殺公何藐藐季氏族藐亡角切又彌小切己丑盟桓子于稷門之內魯南城門
庚寅大詛逐公父歜及秦遄皆奔齊歜即文伯也秦遄平子姑壻也傳言季氏之亂詛莊
慮切歜昌欲切遄市專切○楚子入于郢吳師已歸初鬭辛聞吳人之爭宮也曰
吾聞之不讓則不和不和不可以遠征吳爭於楚必有亂有亂
則必歸焉能定楚王之奔隨也將涉於成臼江夏竟陵縣西有臼水出聊屈山西
南入漢焉於虔切臼其九切屈其勿切又君勿切藍尹亹涉其帑亹楚大夫藍力甘切亹亡匪切帑音奴不
與王舟及寧王欲殺之寧安定也子西曰子常唯思舊怨以敗君何
效焉王曰善使復其所吾以志前惡惡過也王賞鬭辛王孫由于
王孫圉鍾建鬭巢申包胥王孫賈宋木鬭懷九子皆從王有大功者子西
曰請舍懷也以初謀弒王也舍音捨又音赦弒申志切王曰大德滅小怨道也終從其兄
免王大難是大德難乃旦切申包胥曰吾爲君也非爲身也君既定矣又何

求且吾尤子旗其又爲諸子旗蔓成然也以有德於平王求無厭平王殺之在昭十四年爲于僞
切厭於豔切遂逃賞王將嫁季芊季芊辭曰所以爲女子遠丈夫也
鍾建負我矣以妻鍾建以爲樂尹司樂大夫遠于萬切妻七細切王之在隨也
子西爲王輿服以保路國于脾洩脾洩楚邑也失王恐國人潰散故僞爲王車服立國脾洩
以保安道路人脾婢支切洩息列切聞王所在而後從王王使由于城麇於麇築城復
命子西問高厚焉弗知子西曰不能如辭言自知不能當辭勿行城不知
高厚小大何知對曰固辭不能子使余也人各有能有不能王
遇盜於雲中余受其戈其所猶在袒而視之背曰此余所能也
脾洩之事余亦弗能也傳言昭王所以復國有賢臣也袒音但○晉士鞅圍鮮虞
報觀虎之役也三年鮮虞獲晉觀虎
經六年春王正月癸亥鄭游速帥師滅許以許男斯歸游速大叔子
○二月公侵鄭○公至自侵鄭無傳○夏季孫斯仲孫何忌如晉○
秋晉人執宋行人樂祁犂稱行人言非其罪犂力兮切又力之切○冬城中城無傳

葉公終不正視○乙亥陽虎囚季桓子及公
父文伯而逐仲梁懷冬十月
丁亥殺公何藐己丑盟桓子于稷門之內
庚寅大詛逐公父歜及秦遄皆奔齊
○楚子入于郢初鬬辛聞吳人之爭宮也曰
吾聞之不讓則不和不和不可以遠征吳爭於楚必有亂
有亂則必歸焉能定楚○王之奔隨也將涉於成臼
藍尹亹涉其帑不與王舟
及寧王欲殺之子西曰子常唯思舊怨以敗君何效焉
王曰善使復其所吾以志前惡
王賞鬬辛王孫由于王孫圉鍾建鬬巢申包胥王孫賈宋木鬬懷
子西曰請舍懷也王曰大德滅小怨道也
申包胥曰吾為君也非為身也君既定矣又何求
且吾尤子旗其又為諸遂逃賞
王將嫁季芉季芉辭曰所以為女子遠丈夫也
鍾建負我矣以妻鍾建以為樂尹
王之在隨也子西為王輿服以保路國于脾洩聞王所在而後從王
王使由于城麇復命子西問高厚焉弗知
子西曰不能如辭城不知高厚小大何知對曰固辭不能子使余也人各有能有不能
王遇盜於雲中余受其戈其所猶在袒而示之背曰此余所能也
脾洩之事余亦弗能也○晉士鞅圍鮮虞
報觀虎之役也

經六年春王正月癸亥鄭游速帥師滅許以許男斯歸
二月公侵鄭○公至自侵鄭傳無○夏季孫斯仲孫何忌如晉○
秋晉人執宋行人樂祁犂○冬城中城傳無

公爲晉侵鄭故懼而城之爲于僞切○季孫斯仲孫忌帥師圍鄆無傳何忌不言何闕文鄆貳於齊故圍之鄆音運

傳六年春鄭滅許因楚敗也○二月公侵鄭取匡爲晉討鄭之伐胥靡也胥靡周地也周儋翩因鄭人以作亂鄭爲之伐胥靡故晉使魯討之匡鄭地取匡不書歸之晉爲于僞切往不假道於衛及還陽虎使季孟自南門入出自東儋丁甘切翩音篇門陽虎將逐三桓欲使得罪於鄰國舍於豚澤衛侯怒使彌子瑕追之彌子瑕衛嬖大夫豚杜孫切嬖必計切公叔文子老矣文子公叔發輦而如公曰尤人而效之非禮也昭公之難君將以文之舒鼎衛文公之鼎難乃旦切成之昭兆寶龜定之鞶鑑鞶帶而以鏡爲飾也今西方羌胡猶然古之遺服鞶又作盤步丹切又蒲官切鑑古暫切苟可以納之擇用一焉公子與二三臣之子諸侯苟憂之將以爲之質爲質求納魯昭公質音致此羣臣之所聞也今將以小忿蒙舊德蒙覆也無乃不可乎大姒之子大姒文王妃大音泰姒音似唯周公康叔爲相睦也而效小人以棄之不亦誣乎天將多陽虎之罪以斃之君姑待之若

左二十七　十二

何乃止止不伐魯師○夏季桓子如晉獻鄭俘也獻此春取匡之俘俘芳夫切陽虎彊使孟懿子往報夫人之幣虎欲困辱三桓并求媚於晉故彊使正卿報晉夫人之聘彊其丈切下同晉人兼享之賤魯故不復兩設禮明經所以不備書復扶又切孟孫立于房外謂范獻子曰陽虎若不能居魯而息肩於晉所不以爲中軍司馬者有如先君稱先君以衛其言欲使晉必厚待之若獻子曰寡君有官將使其人擇得其人鞅何知焉獻子謂簡子曰魯人患陽虎矣孟孫知其釁以爲必適晉故彊爲之請以取入焉欲令晉人聞虎當逃走故彊設請託之辭因此言以入晉令晉素知之釁許靳切爲于僞切令力呈切○四月己丑吳大子終纍敗楚舟師終纍闔盧子夫差兄舟師水戰纍力追切又力軌切夫音扶差初佳切獲潘子臣小惟子二子楚舟師之帥惟位悲切本又作帷亦如字及大夫七人楚國大惕懼亡子期又以陵師敗于繁揚陵師陸軍惕他歷切令尹子西喜曰乃今可爲矣言知懼而後可治於是乎遷郢於鄀而改紀其政以定楚國傳言楚賴子西以安鄀音若○周儋翩率王子朝之徒因鄭人將以作亂于周儋翩子朝餘黨鄭於是乎伐馮滑

王子頹之徒因鄭人將以作亂于周 [illegible]

遂出奔溫而以紀其政以定其國 [illegible] ○周 [illegible]

[illegible] 今毋子西喜曰乃今可為矣期又以陵師敗于

[illegible] 及大夫士人 [illegible] 國大憚 [illegible]

為必適晉故彌為之請以取入焉 ○四月己丑大子臣小雅于 [illegible]

[illegible] 何知 [illegible] 屬于 [illegible] 曰 [illegible] 人 [illegible] 陽 [illegible] 矣 [illegible]

[illegible] 有 [illegible] 先君 [illegible] 有官 [illegible] 其 [illegible] 入

[illegible] 曰陽虎 [illegible] 不能 [illegible] 晉所不 [illegible] 以為中軍司馬

[illegible] 晉人 [illegible] 于 [illegible] 外 [illegible]

[illegible] 遷 [illegible] 于往 [illegible] 夫人之 [illegible]

何乃止 [illegible] ○夏季相于 [illegible]

[illegible] 十

小人以棄之不亦 [illegible] 天 [illegible] 之 [illegible] 罪以 [illegible] 人 [illegible] 故

不可乎大叔之子 [illegible] 周公康叔為相 [illegible] 無乃

[illegible] 此羣臣之所聞也今 [illegible] 以小 [illegible]

納之 [illegible] 用一 [illegible] 公于 [illegible] 三日之 [illegible] 之 [illegible] 以為之 [illegible] 賈

定之 [illegible] 公之 [illegible] 君 [illegible] 以文之 [illegible] 可以

非禮也 [illegible] 公 [illegible] 文于夫 [illegible] 公曰 [illegible] 人而 [illegible] 之

夫 [illegible] 合 [illegible] 使 [illegible] 于 [illegible] 之 [illegible]

門 [illegible] 往不假 [illegible] 及 [illegible] 自南門入出自東

[illegible] 也 [illegible]

傳六年春 [illegible] 因 [illegible] 也 ○二月公 [illegible] 之

[illegible] ○李 [illegible] 中 [illegible] 圖 [illegible]

胥靡負黍狐人闕外鄭伐周六邑在魯伐鄭取匡前於此見者爲戍周起也陽起縣西南有負黍亭(見)賢遍切下見圈同(爲)于僞切下同　六月晉閻没戍周且城胥靡爲下天王出居姑蕕起　○秋

八月宋樂祁言於景公曰諸侯唯我事晉今使不往晉其憾矣

樂祁告其宰陳寅以輿公言告之(使)所之切(憾)戶暗切　陳寅曰必使子往他日公

謂樂祁曰唯寡人說子之言子必往陳寅曰子立後而行吾室

亦不亡寅知晉政多門往必有難故使樂祁立後而行(說)音悅(難)乃旦切下同　唯君亦以我爲知

難而行也見溷而行溷樂祁子也見於君立以爲後(溷)侯温切又侯困切　趙簡子逆而飲

之酒於綿上獻楊楯六十於簡子楊木名(楯)食允切又音允　陳寅曰昔吾主

范氏今子主趙氏又有納焉以楊楯賈禍弗可爲也已知范氏必怨將

得禍(賈)音古　然子死晉國子孫必得志於宋以其爲國死(爲)于僞切下同　范獻子

言於晉侯曰以君命越疆而使未致使而私飲酒不敬二君不

可不討也乃執樂祁獻子怒祁比趙氏經所以稱行人(疆)居良切(使)所吏切(比)毗志切　○陽虎

又盟公及三桓於周社盟國人于亳社詛于五父之衢傳言三桓微陪

臣專政爲八十陽虎作亂起(亳)步各切(國)側慮(囚)音甫(衢)其俱切　○冬十二月天王處于姑蕕

姑蕕周地(蕕)音由又由舊切　辟儋翩之亂也爲明年單劉逆王起(單)音善

經七年春王正月○夏四月○秋齊侯鄭伯盟于鹹衛地(鹹)音咸　○

齊人執衛行人北宮結以侵衛稱行人非使人之罪(使)所吏切　○齊侯衛侯盟

于沙結叛晉也陽平元城縣東南有沙亭(沙)如字又星和切　○大雩無傳過也　○齊國夏帥師

伐我西鄙夏國佐孫　○九月大雩無傳過也　○冬十月

傳七年春二月周儋翩入于儀栗以叛儀栗周邑　○齊人歸鄆陽關

陽虎居之以爲政鄆陽關皆魯邑中貳於齊齊今歸之不書虎專之(中)丁仲切　○夏四月單

武公穆公子　劉桓公文公子　敗尹氏于窮谷尹氏復黨儋翩共爲亂也(復)扶又切　○秋

齊侯鄭伯盟于鹹徵會于衛衛召也　衛侯欲叛晉屬齊鄭也　諸大夫不

可使北宮結如齊而私於齊侯曰執結以侵我欲以齊師懼諸大夫　齊侯

從之乃盟于瑣瑣即沙也爲明年涉佗捘衛侯手起(瑣)素果切(佗)徒河切(捘)子對切　○齊國夏伐

我齊叛晉故　陽虎御季桓子公斂處父御孟懿子處父孟氏家臣成宰公斂陽(斂)力檢

負黍狐人闕外（[illegible]）

六月，晉閻沒戍周，且城胥靡（[illegible]）○秋

八月，宋樂祁言於景公曰：「諸侯唯我事晉，今使不往，晉其憾矣。」

樂祁告其宰陳寅（[illegible]）。陳寅曰：「必使子往。」他日，公謂樂祁曰：「唯寡人說子之言，子必往。」陳寅曰：「子立後而行，吾室亦不亡（[illegible]），唯君亦以我為知難而行也。」見溷而行（[illegible]）。趙簡子逆，而飲之酒於綿上，獻楊楯六十於簡子（[illegible]）。陳寅曰：「昔吾主范氏，今子主趙氏，又有納焉，以楊楯賈禍，弗可為也已（[illegible]）。然子死晉國，子孫必得志於宋（[illegible]）。」范獻子言於晉侯曰：「以君命越疆而使，未致使而私飲酒，不敬二君，不可不討也。」乃執樂祁（[illegible]）。○陽虎又盟公及三桓於周社，盟國人于亳社，詛于五父之衢（[illegible]）。○冬十二月，天王處于姑蕕（[illegible]），辟儋翩之亂也（[illegible]）。

十三

經七年春王正月。○夏四月。○秋，齊侯、鄭伯盟于鹹（鹹音咸，衛地）。齊人執衛行人北宮結以侵衛（[illegible]）。○齊侯、衛侯盟于沙（[illegible]）。○大雩（[illegible]）。○齊國夏帥師伐我西鄙（[illegible]）。○九月，大雩（[illegible]）。○冬十月。

傳七年春二月，周儋翩入于儀栗以叛（儀栗，周邑）。○齊人歸鄆、陽關，陽虎居之以為政（[illegible]）。○夏四月，單武公、劉桓公敗尹氏于窮谷（[illegible]）。○秋，齊侯、鄭伯盟于鹹，徵會于衛（[illegible]）。衛侯欲叛晉，諸大夫不可。使北宮結如齊，而私於齊侯曰：「執結以侵我。」（[illegible]）齊侯從之，乃盟于瑣（[illegible]）。○齊國夏伐我（[illegible]）。陽虎御季桓子，公斂處父御孟（[illegible]）

切又音廉或音慮點切將宵軍齊師齊師聞之隮伏而待之隮毀其軍以誘敵而設伏兵宵許規切處父曰虎不圖禍而必死而女也女音汝下同苫夷曰虎陷二子於難苫夷季氏家臣二子季孟苫始占切難乃且切不待有司余必殺女虎懼乃還不敗傳言陪臣蹭能自相制季孟不敢有心○冬十一月戊午單子劉子逆王于慶氏慶氏守姑蕕大夫晉籍秦送王己巳王入于王城己巳十二月五日有日無月館于公族黨氏黨氏周大夫黨音掌而後朝于莊宮莊王廟也

春秋左氏傳卷第二十七

將宵軍齊師齊師聞之墮伏而待之
（切又音廉反音斂點切）（墮毀其軍以誘敵而敗之）

處父曰虎不圖禍而必死（反墮許規切）（語女也女音汝下同）苫夷曰虎陷二子於難（苫夷季氏家臣二子季孟苫始占切難乃旦切）不待有司余必殺女虎懼乃還不敗（傳言語臣邇能自拍尚季孟不敢有心）

○冬十一月戊午單子劉子逆王于慶氏（慶氏守故舊大夫）晉籍秦送王己巳王入于王城（己巳十二月五日有日無月）館于公族黨氏（黨氏周大夫黨音掌）而後朝于莊宮（莊王廟也）

春秋左氏傳卷第二十七

春秋經傳集解定下第二十八

杜氏　盡十五年

經八年春王正月公侵齊報前年伐我西鄙○公至自侵齊無傳○二月公侵齊未得志故○三月公至自侵齊無傳○曹伯露卒無傳四年盟皐鼬○鼬由又切○夏齊國夏帥師伐我西鄙○公會晉師于瓦瓦衛地將來救魯公逆會之東郡燕縣東北有瓦亭夏戶雅切年末注同瓦五寡切燕音煙○公至自瓦無傳○秋七月戊辰陳侯柳卒無傳四年盟皐鼬柳力久切本或作桺○晉士鞅帥師侵鄭遂侵衛兩事故曰遂○葬曹靖公無傳○九月葬陳懷公無傳三月而葬速○季孫斯仲孫何忌帥師侵衛○冬衛侯鄭伯盟于曲濮無傳結叛晉曲濮衛地濮音卜○從祀先公從順也先公閔公僖公也將正二公之位次所順非一親盡故通言先公○盜竊寶玉大弓盜謂陽虎也家臣賤名氏不見故曰盜寶玉夏后氏之璜大弓封父之繁弱見賢遍切璜音黃父音甫

傳八年春王正月公侵齊門于陽州攻其門士皆坐列言無鬭志曰顏高之弓六鈞顏高魯人三十斤爲鈞六鈞百八十斤古稱重故以爲異彊鈞音均稱尺證切彊其丈切皆取而傳觀之陽州人出顏高奪人弱弓籍丘子鉏擊之與一人俱斃子鉏齊人斃仆也傳直專切鉏仕居切與一人俱斃婢世切顏高與一人俱爲子鉏所擊而仆仆音赴又蒲北切孫炎云前覆曰仆偃且射子鉏中頰殪子鉏死且如字射食亦切下同中丁仲切頰古協切殪於計切死也言顏高雖爲子鉏所擊偃仆且射子鉏中頰而死言其善射也一讀且音子餘切云偃且人姓名也檢世族譜無此人一讀者非也顏息射人中眉顏息魯人退曰我無勇吾志其目也以自矜師退冉猛僞傷足而先猛魯人欲先歸先悉薦切其兄會乃呼曰猛也殿會見師退而猛不在列乃大呼詐言猛有後爲殿傳言魯無軍政呼火故切殿丁電切注同○二月己丑單子伐穀城劉子伐儀栗計儋翩之黨穀城在河南縣西單音善儋丁甘切翩音篇辛卯單子伐簡城劉子伐盂以定王室傳終王室之亂盂音于○趙鞅丁掌切言於晉侯曰諸侯唯宋事晉好逆其使猶懼不至今又執之是絕諸侯也將歸樂祁士鞅曰三年止之無故而歸之宋必叛晉執樂祁在六年好呼報切使所吏切獻子私謂子梁獻子范鞅子梁樂祁曰寡君懼不得事宋君是以止子子姑使溷代子溷樂祁子溷侯溫切又侯困切子梁以告陳寅陳寅曰宋將叛晉是

第二十八

盡十五年

元年春王正月公即位

[illegible]

○公至自[illegible]

二月[illegible]

[illegible]

棄國也不如待之留待切以子自代樂祁歸卒于大行大行晉東南山大音泰行戶郎
切一音衡士鞅曰宋必叛不如止其尸以求成焉乃止諸州州晉地爲明年
宋公使樂大心如晉張本○公侵齊攻廩丘之郛郛郭也廩力甚切郛芳夫切主人焚衝
衝戰車衝昌容切說文作轒云陷陣車也或濡馬褐以救之馬褐馬衣濡人于切褐戶葛切遂毀之
毀郛主人出師奔攻郛人少故遣後師走往助之陽虎偽不見冉猛者曰猛在此
必敗陽州之役猛先歸言若在此必復敗復扶又切猛逐之顧而無繼偽顛逐廩丘人虎
曰盡客氣也言皆客氣非勇客如字苫越生子將待事而名之苫越苫夷苫式占切
注同陽州之役獲焉名之曰陽州欲自比僑如僑其驕切○夏齊國夏高張
伐我西鄙報上二侵晉士鞅趙鞅荀寅救我救不書齊師已去未入竟竟音境公會
晉師于瓦范獻子執羔趙簡子中行文子皆執鴈魯於是始尚
羔獻子士鞅也簡子趙鞅也中行文子荀寅也禮卿執羔大夫執鴈魯則同之今始知執羔之尊也卿不書禮不敵公史略
之行戶郎切○晉師將盟衛侯于鄟澤自瓦還就衛地盟鄟音專又市轉切本亦作剸音同趙
簡子曰羣臣誰敢盟衛君者前年衛叛晉屬齊簡子意欲推辱之涉佗成何曰我
能盟之二子晉大夫佗徒何切衛人請執牛耳盟禮尊者涖牛耳主次盟者衛侯與晉大夫盟自以
當涖牛耳故請之成何曰衛吾溫原也焉得視諸侯言衛小可比晉縣不得從諸侯禮焉於虔
切將歃涉佗捘衛侯之手及捥捘擠也血至捥歃所洽切捘子對切捥烏喚切擠子計切又子
禮切說文云排也衛侯怒王孫賈趨進賈衛大夫曰盟以信禮也信猶明也有如
衛君其敢不唯禮是事而受此盟也言晉無禮不欲受其盟衛侯欲叛晉
而患諸大夫王孫賈使次于郊大夫問故問不入故公以晉詬語之
詬恥也詬呼豆切語魚據切且曰寡人辱社稷其改卜嗣寡人從焉使改卜他公子
以嗣先君我從大夫所立大夫曰是衛之禍豈君之過也公曰又有患焉謂
寡人必以而子與大夫之子爲質爲質於晉質音致下同大夫曰苟有益
也公子則往羣臣之子敢不皆負羈絏以從將行王孫賈曰苟
衛國有難工商未嘗不爲患使皆行而後可欲以激怒國人絏息列切從才用切
下往從弟下從者同難乃旦切激古狄切公以告大夫乃皆將行之行有日公
朝國人使賈問焉曰若衛叛晉晉五伐我病何如矣皆曰五伐

[illegible]

虎曰盡客氣也[illegible]苫越生子將待事而名之陽州之役獲焉名之曰陽州[illegible]

夏齊國夏高張伐我西鄙[illegible]晉士鞅趙鞅荀寅救我[illegible]公會晉師于瓦[illegible]范獻子執羔趙簡子中行文子皆執鴈魯於是始尚羔[illegible]

晉師將盟衞侯于鄟澤[illegible]趙簡子曰羣臣誰敢盟衞君者[illegible]涉佗成何曰我能盟之[illegible]衞人請執牛耳[illegible]成何曰衞吾溫原也焉得視諸侯[illegible]將歃涉佗捘衞侯之手及捥[illegible]衞侯怒王孫賈趨進曰盟以信禮也有如衞君其敢不唯禮是事而受此盟也[illegible]

衞侯欲叛晉而患諸大夫[illegible]王孫賈使次于郊[illegible]大夫問故公以晉詬語之且曰寡人辱社稷其改卜嗣寡人從焉[illegible]大夫曰是衞之禍豈君之過也公曰又有患焉謂寡人必以而子與大夫之子為質[illegible]大夫曰苟有益也公子則往羣臣之子敢不皆負羈絏以從[illegible]將行王孫賈曰苟衞國有難工商未嘗不為患使皆行而後可[illegible]公以告大夫乃皆將行之行有日公朝國人使賈問焉曰若衞叛晉晉五伐我病何如矣皆曰五[illegible]

我猶可以能戰貫曰然則如叛之病而後質焉何遲之有乃叛晉晉人請改盟弗許○秋晉士鞅會成桓公侵鄭圍蟲牢報伊闕也（桓公周卿士不書監帥不親侵也六年鄭伐周闕外晉爲周報之監古銜切爲于僞切下同）遂侵衛（討叛）○九月師侵衛晉故也（魯爲晉討衛）○季寤（季桓子之弟寤五故切）公鉏極（公彌曾孫桓子族子）公山不狃（費宰狃女九切）皆不得志於季氏叔孫輒無寵於叔孫氏（輒叔孫氏之庶子）叔仲志不得志於魯（志叔孫帶之孫皆爲國人所薄）故五人因陽虎陽虎欲去三桓以季寤更季氏（代桓子去起呂切更音庚舊古孟切下同）以叔孫輒更叔孫氏（代武叔）已更孟氏（陽虎自代懿子）冬十月順祀先公而祈焉（將作大事欲以順祀取媚）辛卯禘于僖公（辛卯十月二日不於大廟者順祀之義當退僖公懼於僖神故）（於僖廟行順祀禘大計切）壬辰將享季氏于蒲圃而殺之戒都車曰癸巳至（都邑之兵車也陽虎欲以壬辰夜殺季孫明日癸巳以都車攻二家圃布五切）成宰公斂處父告孟孫曰季氏戒都車何故孟孫曰吾弗聞處父曰然則亂也必及於子先備諸與孟孫以壬辰爲期（處父期以兵救孟氏壬辰先癸巳一日先悉薦切）陽虎

左二十八　二

前驅林楚御桓子虞人以鈹盾夾之陽越殿（越陽虎從弟鈹普皮切盾食允切又音允夾古洽切殿丁見切）將如蒲圃桓子咋謂林楚（咋暫也咋仕詐切）曰而先皆季氏之良也爾以是繼之（欲使林楚免己於難以繼其先人之良難乃旦切）對曰臣聞命後（後猶晚也）陽虎爲政魯國服焉違之徵死死無益於主桓子曰何後之有而能以我適孟氏乎對曰不敢愛死懼不免主桓子曰往也（言必往）孟氏選圉人之壯者三百人以爲公期築室於門外（實欲以備難不欲使人知故僞築室於門外因得聚衆公期孟氏支子圉魚呂切爲于僞切）林楚怒馬及衢而騁（騁馳也騁勑領切）陽越射之不中築者闔門（季孫既得入乃閉門射食亦切下同中丁仲切闔戶臘切）有自門前射陽越殺之陽虎劫公與武叔（武叔叔孫不敢之子州仇也劫居業切仇音求）以代孟氏公斂處父師成人自上東門入（魯東城之北門）與陽氏戰于南門之內弗勝又戰于棘下（城內地名）陽氏敗陽虎說甲如公宮取寶玉大弓以出舍于五父之衢寢而爲食其徒曰追其將至虎曰魯人聞余出喜於徵死何暇追余（徵召也陽虎召季氏於蒲圃將

猶可以能戰賈曰然則如叛之病而後質焉何遲之有乃叛晉晉人請改盟弗許○秋晉士鞅會成桓公侵鄭圍蟲牢報伊闕也遂侵衛○九月師侵衛晉故也○季寤公鉏極公山不狃皆不得志於季氏叔孫輒無寵於叔孫氏叔仲志不得志於魯故五人因陽虎陽虎欲去三桓以季寤更季氏以叔孫輒更叔孫氏己更孟氏冬十月順祀先公而祈焉辛卯禘于僖公壬辰將享季氏于蒲圃而殺之戒都車曰癸巳至成宰公斂處父告孟孫曰季氏戒都車何故孟孫曰吾弗聞處父曰然則亂也必及於子先備諸與孟孫以壬辰為期陽虎前驅林楚御桓子虞人以鈹盾夾之陽越殿將如蒲圃桓子咋謂林楚曰而先皆季氏之良也爾以是繼之對曰臣聞命後陽虎為政魯國服焉違之徵死死無益於主桓子曰何後之有而能以我適孟氏乎對曰不敢愛死懼不免主桓子曰往也孟氏選圉人之壯者三百人以為公期築室於門外林楚怒馬及衢而騁陽越射之不中築者闔門有自門間射陽越殺之陽虎劫公與武叔以伐孟氏公斂處父帥成人自上東門入與陽氏戰于南門之內弗勝又戰于棘下陽氏敗陽虎說甲如公宮取寶玉大弓以出舍于五父之衢寢而為食其徒曰追其將至虎曰魯人聞余出喜於徵死何暇追余

殺之今得脫必喜故言喜於召死說本又作殺同他活切脫徒活切或他活切從者曰嘻速駕公斂陽
在嘻懼聲嘻許其切公斂陽請追之孟孫弗許異陽虎陽欲殺桓子欲因亂討
季氏以彊孟氏孟孫懼而歸之不敢殺子言辨舍爵於季氏之廟而出子言
季寤辨猶周徧也徧告廟飲酒示無懼言辨上音遍注徧同下如字陽虎入于讙陽關以叛叛不書略
家臣音歡讙○鄭駟歂嗣子大叔爲政歂駟乞子子然也爲明年殺鄧析張本歂市專切析星曆切
經九年春王正月○夏四月戊申鄭伯蠆卒無傳四年盟皐○鼬蠆勑邁切
得寶玉大弓弓玉國之分器得之足以爲榮失之足以爲辱故重而書之分扶問切○六月葬鄭
獻公無傳三月而葬速○秋齊侯衛侯次于五氏五氏晉地不書伐者諱伐盟主以次告
○秦伯卒無傳不書名未同盟○冬葬秦哀公無傳
傳九年春宋公使樂大心盟于晉且逆樂祁之尸辭僞有疾乃
使向巢如晉盟且逆子梁之尸巢向戌曾孫向舒亮切子明謂桐門右師
出子明樂祁之子溷也右師樂大心子明族父也右師往到子明舍子明逐使出門去曰吾猶衰絰而子
擊鍾何也怨其不逆父喪因責其無同族之恩衰七雷切絰田結切右師曰喪不在此故也

左二十八　四

旣而告人曰己衰絰而生子余何故舍鍾己子明也舍音捨子明聞之
怒言於公曰右師將不利戴氏樂氏戴公族不肯適晉將作亂也不
然無疾乃逐桐門右師逐之在明年終叔孫昭子之言○鄭駟歂殺鄧析而用
其竹刑鄧析鄭大夫欲改鄭所鑄舊制不受君命而私造刑法書之於竹簡故言竹刑君子謂子然於
是不忠苟有可以加於國家者棄其邪可也加猶益也棄不責其邪惡也邪似嗟
切靜女之三章取彤管焉詩邶風也言靜女三章之詩雖說美女義在彤管彤管赤管筆女史記事
規誨之所執彤徒冬切邶音佩說音悅竿旄何以告之取其忠也詩鄘風也錄竿旄詩者取其中
心願告人以善道也言此二詩皆以一善見采而鄧析不以一善存身鄘音容故用其道不棄其人詩
云蔽芾甘棠勿翦勿伐召伯所茇詩召南也召伯決訟於蔽芾小棠之下詩人思之不伐其
樹茇草舍也芾方味切召音邵茇畔末切思其人猶愛其樹況用其道而不恤其人
乎子然無以勸能矣傳言子然嗣大叔爲政鄭所以衰弱○夏陽虎歸寶玉大弓
無益近用而抵爲名故歸之抵音支書曰得器用也凡獲器用曰得器用者謂物之成器可爲
人用者也得用焉曰獲謂用器物以有獲若麟爲田獲俘爲戰獲麟本又作麟呂辛切俘芳夫切○六月

[illegible]

經 九年春王正月。○夏四月戊申，鄭伯蠆卒。○得寶玉大弓。○六月，葬鄭獻公。○秋，齊侯、衛侯次于五氏。○秦伯卒。○冬，葬秦哀公。

傳 九年春，宋公使樂大心盟于晉，且逆樂祁之尸。辭，偽有疾。乃使向巢如晉盟，且逆子梁之尸。子明謂桐門右師出，曰：吾猶衰絰，而子擊鐘，何也？右師曰：喪不在此故也。既而告人曰：己衰絰而生子，余何故舍鐘？子明聞之，怒，言於公曰：右師將不利戴氏，不肯適晉，將作亂也。不然無疾。乃逐桐門右師。○鄭駟歂殺鄧析，而用其竹刑。君子謂子然於是不忠。苟有可以加於國家者，棄其邪可也。靜女之三章，取彤管焉。竿旄何以告之，取其忠也。故用其道，不棄其人。詩云：蔽芾甘棠，勿翦勿伐，召伯所茇。思其人，猶愛其樹，況用其道而不恤其人乎？子然無以勸能矣。○夏，陽虎歸寶玉大弓。書曰得，器用也。凡獲器用曰得，得用焉曰獲。○六月

伐陽關（討陽虎也）陽虎使焚萊門（陽關邑門）師驚犯之而出奔齊請師以
伐魯曰三加必取之（三加兵於魯）齊侯將許之鮑文子諫曰臣嘗爲
隸於施氏矣（施氏魯大夫文子鮑國也成十七年齊人召而立之至今七十四歲於是文子蓋九十餘矣）魯
未可取也上下猶和衆庶猶睦能事大國（大國晉也）而無天菑若之
何取之陽虎欲勤齊師也齊師罷大臣必多死亡己於是乎奮
其詐謀夫陽虎有寵於季氏而將殺季孫以不利魯國而求容
焉（求自容【奮】音糞【罷】音皮）親富不親仁君焉用之君富於季氏而大於魯
國茲陽虎所欲傾覆也魯免其疾而君又收之無乃害乎齊侯
執陽虎將東之陽虎願東（陽虎欲西奔晉知齊必反己故詐以東爲願【爲】於虔切【傾】本又作頃音傾
【覆】芳服切）乃囚諸西鄙盡借邑人之車鍥其軸麻約而歸之（鍥刻也欲絕追者【鍥】
苦結切【軸】音逐）載葱靈寢於其中而逃（葱靈輜車名【葱】初江切或音忽【輜】側其切說文云衣車也）追
而得之囚於齊又以葱靈逃奔宋遂奔晉適趙氏仲尼曰趙氏
其世有亂乎（受亂人故）秋齊侯伐晉夷儀（爲衛討也【爲】于僞切下同）敝無存之

父將室之辭以與其弟（無存齊人也室之爲取婦）曰此役也不死反必娶於
高國（高氏國氏齊貴族也無存欲必有功還取卿相之女【娶】七住切【相】息亮切）先登求自門出死於
霤下（既入城夷儀人不服故鬭死於門屋霤下也【霤】力又切）東郭書讓登（登城非人所樂故讓衆使後而
己先登【犂】如字又五孝切）犂彌從之曰子讓而左我讓而右使登者絕而後
下（恐書先下故又譎以讓之下入城也【犂】力兮切【譎】古穴切）書左彌先下（書從彌言左行彌遂自先下亦讓也）
書與王猛息（戰訖共止息）猛曰我先登書斂甲曰曩者之難今又難
焉（斂甲起欲擊猛【曩】乃黨切【難】乃旦切）猛笑曰吾從子如驂之靳（靳車中馬也猛不敢與書
爭言己從書如驂馬之隨靳也傳言齊師和所以能克【驂】七南切騑馬也【靳】居覲切本或作如驂之有靳非也【爭】爭鬭之爭又
如字）晉車千乘在中牟（救夷儀也今滎陽有中牟縣迴遠疑非也【乘】繩證切）衛侯將如五氏（齊
侯在五氏將往助之）卜過之龜焦（衛至五氏道過中牟畏晉故卜龜焦兆不成不可以行事也）衛侯
曰可也衛車當其半寡人當其半敵矣（衛侯怒晉甚不復顧卜欲以身當五百乘【復】扶
又切）乃過中牟中牟人欲伐之衛褚師圃亡在中牟曰衛雖小其
君在焉未可勝也齊師克城而驕其帥又賤（城謂夷儀也帥謂東郭書【褚】中呂切）

伐陽關[illegible]陽虎使焚萊門[illegible]師驚犯之而出奔齊請師以伐魯曰三加必取之[illegible]齊侯將許之鮑文子諫曰臣嘗為隸於施氏矣[illegible]魯未可取也上下猶和眾庶猶睦能事大國[illegible]而無天菑若之何取之陽虎欲勤齊師也齊師罷大臣必多死亡己於是乎奮其詐謀夫陽虎有寵於季氏而將殺季孫以不利魯國而求容焉[illegible]親富不親仁君焉用之君富於季氏而大於魯國茲陽虎所欲傾覆也魯免其疾而君又收之無乃害乎齊侯執陽虎將東之[illegible]陽虎願東乃囚諸西鄙[illegible]盡借邑人之車鍥其軸麻約而歸之[illegible]載蔥靈寢於其中而逃[illegible]追而得之囚於齊又以蔥靈逃奔晉適趙氏[illegible]仲尼曰趙氏其世有亂乎[illegible]

秋齊侯伐晉夷儀[illegible]敝無存之父將室之辭以與其弟曰此役也不死反必娶於高國[illegible]先登求自門出死於霤下[illegible]東郭書讓登[illegible]犂彌從之曰子讓而左我讓而右使登者絕而後下書左彌先下[illegible]書與王猛息[illegible]猛曰我先登書斂甲曰曩者之難今又難焉[illegible]猛笑曰吾從子如驂之有靳[illegible]晉車千乘在中牟[illegible]衛侯將如五氏卜過之龜焦[illegible]衛侯曰可也衛車當其半寡人當其半敵矣[illegible]乃過中牟中牟人欲伐之衛褚師圃亡在中牟曰衛雖小其君在焉未可勝也齊師克城而驕其帥又賤[illegible]

(餫)所類切注同遇必敗之不如從齊乃伐齊師敗之獲齊車五百乘事見哀十五年(見)賢遍切齊侯致禚媚杏於衛諸若切(媚)武冀切(杏)戶猛切二邑皆齊西界以荅謝衛意(謝)齊侯賞犂彌犂彌辭曰有先登者臣從之晳幘而衣貍製晳白也幘齒上下相值製裘也(晳)星曆切(幘)音策又音責說文作齰(衣)於既切(貍)力之切(製)音制公使視東郭書曰乃夫子也吾貺子貺賜也(貺)音況公賞東郭書辭曰彼賓旅也言彼與我若賓主相讓旅俱進退乃賞犂彌齊師之在夷儀也齊侯謂夷儀人曰得敝無存者以五家免給其五家令常不共役(令)力呈切(共)音恭乃得其尸公三襚之襚衣也比殯三加襚深禮厚之(襚)音遂(比)必利切與之犀軒與直蓋犀軒卿車直蓋高蓋而先歸之坐引者以師哭之停喪車以盡哀也君方為位而哭故挽喪者不敢立(挽)音晚親推之三齊侯自推喪車輪三轉(推)如字又他回切

經十年春王三月及齊平平前八年再侵齊之怨平故(夾)古洽切又古協切二傳作頰(谷)古木切○夏公會齊侯于夾谷○公至自夾谷無傳○晉趙鞅帥師圍衛○齊人來歸鄆讙龜陰田三邑皆汶陽田也泰山博縣北有龜山陰田在其北也會夾谷孔子相齊人服義而歸魯田(鄆)音運(讙)火官切(汶)音問(相)息亮切○叔孫州仇仲孫何忌帥師圍郈郈叔孫氏邑(郈)音后字林下遘切○秋叔孫州仇仲孫何忌帥師圍郈○宋樂大心出奔曹傳在前年春書名罪其稱疾罪不適晉命書名罪之也(貢)魯貢切○宋公子地出奔陳貪弄馬以距君○冬齊侯衛侯鄭游速會于安甫無傳安甫地闕○叔孫州仇如齊○宋公之弟辰暨仲佗石彄出奔陳暨與也宋公寵向魋不聽辰請辰忿而將大臣出奔處請自忿稱弟示首惡也仲佗石彄皆為國御不能距君靜難而為辰所牽帥出奔稱名亦罪之也(暨)其器切(佗)徒河切(彄)苦侯切(魋)大回切(難)乃旦切

左二十八 六

傳十年春及齊平○夏公會齊侯于祝其實夾谷夾谷即祝其也孔丘相相會儀也(相)息亮切注同犂彌言於齊侯曰孔丘知禮而無勇若使萊人以兵劫魯侯必得志焉萊人齊所滅萊夷也(犂)力兮切(劫)居業切齊侯從之孔丘以公退曰士兵之以兵擊萊人兩君合好而裔夷之俘以兵亂之裔遠也(好)呼報切下偪好同(裔)以制切(俘)芳夫切下同非齊君所以命諸侯也裔不謀夏夷不亂華俘不干盟兵不偪好於神為不祥盟將告神犯之為不善(夏)戶雅切(偪)彼力切

遇必敗之不如從齊乃伐齊師敗之

齊侯致禚媚杏於衛

齊侯賞犁彌犁彌辭曰有先登者臣從之皙幘而衣貍製公使視東郭書曰乃夫子也吾貺子公賞東郭書辭曰彼賓旅也乃賞犁彌齊師之在夷儀也齊侯謂夷儀人曰得敝無存者以五家免乃得其尸公三襚之與之犀軒與直蓋而先歸之坐引者以師哭之親推之三

經十年春王三月及齊平○夏公會齊侯于夾谷○公至自夾谷○晉趙鞅帥師圍衛○齊人來歸鄆讙龜陰田

○叔孫州仇仲孫何忌帥師圍郈○秋叔孫州仇仲孫何忌帥師圍郈○宋樂大心出奔曹○宋公子地出奔陳○冬齊侯衛侯鄭游速會于安甫○叔孫州仇如齊○宋公之弟辰暨仲佗石彄出奔陳

傳十年春及齊平○夏公會齊侯于祝其實夾谷孔丘相犁彌言於齊侯曰孔丘知禮而無勇若使萊人以兵劫魯侯必得志焉齊侯從之孔丘以公退曰士兵之兩君合好而裔夷之俘以兵亂之非齊君所以命諸侯也裔不謀夏夷不亂華俘不干盟兵不偪好於神為不祥

於德爲愆義於人爲失禮君必不然齊侯聞之遽辟之辟去兵也萊(辟)去連切(遽)其據切(辟)婢亦切又音避(去)起呂切將盟齊人加於載書曰齊師出竟而不以甲車三百乘從我者有如此盟如此盟詛之禍(乘)繩證切(詛)側據切(竟)音境孔丘使茲無還揖封無還魯大夫(還)音旋曰而不反我汶陽之田吾以共命者亦如之須齊歸汶陽田乃當共齊命於是孔子以公退賤者終其事要盟不絜故略不書(共)音恭(要)一遙切齊侯將享公孔丘謂梁丘據曰齊魯之故吾子何不聞焉故舊典事既成矣會事成而又享之是勤執事也且犧象不出門嘉樂不野合犧象酒器犧尊象尊也嘉樂鍾磬也(犧)許宜切又息河切饗而既具是棄禮也若其不具用秕稗也秕穀不成者稗草之似穀者言享不具禮穢薄若秕稗(秕)音鄙字林音比又必履切(稗)皮賣切用秕稗君辱棄禮名惡子盍圖之夫享所以昭德也不昭不如其已也乃不果享孔子知齊侯懷詐故以禮距之(盍)戶臘切齊人來歸鄆讙龜陰之田陽虎九年以此奔齊經文倒者次魯事○晉趙鞅圍衛報夷儀也前年齊爲衛伐晉夷儀故伐衛以爲報(爲)于僞切初衛侯伐邯鄲午於寒氏邯鄲廣平縣也午晉邯鄲大夫寒氏即五氏也前年衛人助齊

左二十八　七

伐五氏(邯)音寒(鄲)音丹城其西北而守之宵熸午衆宵散城其西北而守之一本或作城其西北隅(熸)子潛切及晉圍衛午以徒七十人門於衛西門殺人於門中曰請報寒氏之役衛開門與午鬬涉佗曰夫子則勇矣然我往必不敢啓門亦以徒七十人旦門焉步左右皆至而立如植至其門下步行門左右然後立侍如立木不動以示整(佗)徒河切(植)市力切一音值日中不啓門乃退反役晉人討衛之叛故曰由涉佗成何手搏衛侯故於是執涉佗以求成於衛衛人不許晉人遂殺涉佗成何奔燕君子曰此之謂棄禮必不鈞言必見殺不得與人等詩曰人而無禮胡不遄死涉佗亦遄矣哉詩鄘風遄速也(遄)市專切○初叔孫成子欲立武叔公若藐固諫曰不可藐叔孫氏之族(藐)音邈又亡小切成子立之而卒公南使賊射之不能殺公南叔孫家臣武叔之黨(射)食亦切下同公南爲馬正使公若爲郈宰武叔既定使郈馬正侯犯殺公若弗能其圉人曰武叔之圉人吾以劒過朝公若必曰誰之劒也吾稱子以告必觀之吾僞固而授之末則可殺也僞爲固陋不知禮者以劒鋒末授之

（鋒）芳逢切　使如之公若曰爾欲吳王我乎（見鉏向己逆呵之鱄諸殺吳王亦用鉏刺之（向）許亮切亦作嚮（呵）呼多切（刺）七亦切）遂殺公若侯犯以郈叛（犯以不能副武叔之命故叛叛而以圍告廟故書圍）

武叔懿子圍郈弗克秋二子及齊師復圍郈弗克叔孫謂郈工師駟赤（工師掌工匠之官（復）扶又切）曰郈非唯叔孫氏之憂社稷之患也將若之何對曰臣之業在揚水卒章之四言矣（揚水詩唐風卒章四言曰我聞有命在揚水卒章本或作揚之水卒章）叔孫稽首（謝其受己命）駟赤謂侯犯曰居齊魯之際而無事必不可矣（無所服事）子盍求事於齊以臨民不然將叛侯犯從之齊使至駟赤與郈人為之宣言於郈中（詐為齊使言也（使）所吏切注同（為）于偽切下注為齊同）曰侯犯將以郈易于齊齊人將遷郈民（謂易其民人）衆兇懼（不欲遷（兇）音凶一音凶勇切）駟赤謂侯犯曰衆言異矣（不與始同）子不如易於齊與其死也猶是郈也而得紓焉何必此（言以郈民易取齊人與郈無異勝於守郈為叛人所殺（紓）音舒）齊人欲以此偪魯必倍與子地（言非徒得民又將得齊地（偪）彼力切（倍）步罪切）且盍多舍甲於子之門以備不虞侯犯曰諾乃多舍甲

焉侯犯請易於齊齊有司觀郈將至駟赤使周走呼曰齊師至矣郈人大駭介侯犯之門甲以圍侯犯駟赤將射之（偽為侯犯射郈人（呼）火故切（介）音界）侯犯止之曰謀免我侯犯請行許之（郈人許之）駟赤先如宿（宿東平無鹽縣故宿國）侯犯殿每出一門郈人閉之（閉其後門（殿）丁見切）及郭門止之曰子以叔孫氏之甲出有司若誅之（誅責也）羣臣懼死駟赤曰叔孫氏之甲有物吾未敢以出（物識也赤還救侯犯也（識）申志切又如字）犯謂駟赤曰子止而與之數（數甲以相付（數）色主切）駟赤止而納魯人侯犯奔齊齊人乃致郈（致其名簿也為下武叔如齊傳（簿）步古切）

○宋公子地嬖蘧富獵（地宋景公弟辰之見也（嬖）必計切（蘧）其居切（獵）力輒切）十一分其室而以其五與之（與富獵也）公子地有白馬四公嬖向魋魋欲之（向魋司馬桓魋也）公取而朱其尾鬣以與之（與魋也（鬣）力輒切爾雅舍人注云馬鬣也（鬉）子工切）地怒使其徒抶魋而奪之魋懼將走公閉門而泣之目盡腫母弟辰曰子分室以與獵也而獨卑魋亦有頗焉子為君禮（禮辟君也（抶）勑乙切（腫）章勇切（頗）普多切）不過出竟君必止

子公子地出奔陳公弗止辰爲之請弗聽辰曰是我迋吾兄也迋欺也(竟)音境(爲)于僞切注猶爲同(迋)求往切又古況切吾以國人出君誰與處冬母弟辰
暨仲佗石彄出奔陳佗仲幾子彄褚師段子皆宋卿衆之所望故言國人(褚)張呂切○武叔聘
于齊謝致郈也經書辰奔在聘後者從告齊侯享之曰子叔孫若使郈在君之他
竟寡人何知焉屬與敝邑際故敢助君憂之以致郈德叔孫(屬)音燭對曰
非寡君之望也所以事君封疆社稷是以以猶爲也(疆)居良切敢以家隸
勤君之執事夫不令之臣天下之所惡也君豈以爲寡君賜言義
在討惡非所以賜寡君(惡)烏切十一年傳注皆同又如字
經十有一年春宋公之弟辰及仲佗石彄公子地自陳入于蕭
以叛蕭宋邑稱地例在前年○夏四月秋宋樂大心自曹入于蕭入蕭從叛人叛
可知故不書叛○冬及鄭平平六年侵鄭取匡之怨○叔還如鄭涖盟還叔詣曾孫(還)音旋
還叔詣曾孫案世族譜叔還是叔弓曾孫此云叔詣誤也
傳十一年春宋公母弟辰暨仲佗石彄公子地入于蕭以叛秋

樂大心從之大爲宋患寵向魋故也惡宋公寵不義以致國患○冬及鄭平
始叛晉也魯自僖公以來世服於晉至今而叛故曰始
經十有二年春薛伯定卒無傳四年盟皋鼬○夏葬薛襄公無傳○叔孫
州仇帥師墮郈墮毀也患其險固故毀壞其城(墮)許規切下傳同(壞)音怪又戶怪切○衛公孟彄
帥師伐曹彄孟縶子(彄)苦侯切(縶)陟立切○季孫斯仲孫何忌帥師墮費(費)音秘
○秋大雩無傳書過(雩)音于○冬十月癸亥公會齊侯盟于黃無傳結叛晉
○十有一月丙寅朔日有食之無傳○公至自黃無傳○十有二月
公圍成○公至自圍成無傳國內而書至者成彊若列國與動大衆故出入皆告廟
傳十二年夏衛公孟彄伐曹克郊郊曹邑還滑羅殿羅衛大夫(滑)于八切(殿)丁
見切下同未出不退於列未出曹竟羅不退在行列之後(竟)音境(行)戶郎切其御曰殿而在
列其爲無勇乎羅曰與其素厲寧爲無勇素空也厲猛也言伐小國當如畏者以誘
致之○仲由爲季氏宰仲由子路將墮三都三都費郈成也彊盛將爲國害故仲由欲毀之於
是叔孫氏墮郈季氏將墮費公山不狃叔孫輒帥費人以襲魯

[illegible]暨宋仲佗石彄出奔陳[illegible]

[illegible]

○十有一月丙寅朔日有食之[illegible]

○公至自黃[illegible]

公圍成○公至自圍成[illegible]

（不狃費宰也輒不得志於叔孫氏）公與三子入于季氏之宮登武子之臺費人
攻之弗克入及公側（至臺下）仲尼命申句須樂頎下伐之（二子魯大夫仲
尼時為司寇【句】音鉤【頎】音祈）費人北國人追之敗諸姑蔑二子奔齊（二子不狃叔孫
輒）遂墮費將墮成公斂處父謂孟孫墮成齊人必至于北門（成在
魯北竟故）且成孟氏之保障也無成是無孟氏也子僞不知（佯不知【障】之尚
切又音章子僞不知並如字一本僞作為【佯】本亦作陽音同）我將不墮冬十二月公圍成弗克
經十有三年春齊侯衛侯次于垂葭（二君將使師伐晉次垂葭以為之援【葭】音加）○
夏築蛇淵囿（無傳書不時也【囿】音又）○大蒐于比蒲（無傳夏蒐非時【蒐】所求切【比】音毗）○
衛公孟彄帥師伐曹（無傳）○秋晉趙鞅入于晉陽以叛（書叛惡可知）○
冬晉荀寅士吉射入于朝歌以叛（吉射士鞅子【射】食亦切又食夜切【朝】如字）○晉趙
鞅歸于晉（韓魏請而復之故曰歸言韓魏之彊猶列國）○薛弒其君比（無傳稱君君無道）
傳十三年春齊侯衛侯次于垂葭實郹氏（垂葭改名郹氏高平鉅野縣西南有郹亭）
（【郹】古闃切）使師伐晉將濟河諸大夫皆曰不可邴意茲曰可（意茲齊大夫【邴】

彼命切又音丙）銳師伐河內（今河內汲郡）傳必數日而後及絳（傳告晉【傳】張戀切又直專
切【數】所主切）絳不三月不能出河則我既濟水矣乃伐河內齊侯皆
斂諸大夫之軒唯邴意茲乘軒（以其言當【當】丁浪切）齊侯欲與衛侯乘（共載）
（【乘】繩證切下同）與之宴而駕乘廣載甲焉使告曰晉師至矣齊侯曰比
君之駕也寡人請攝（以己車攝代衛車【廣】古曠切【比】必利切）乃介而與之乘驅之
或告曰無晉師乃止（傳言齊侯輕所以不能成【介】音界【輕】遣政切）○晉趙鞅謂邯鄲
午曰歸我衛貢五百家吾舍諸晉陽午許諾（十年趙鞅圍衛衛人懼貢五百家鞅
置之邯鄲今欲徙著晉陽晉陽趙鞅邑【著】丁略切）歸告其父兄父兄皆曰不可衛是以
為邯鄲（言衛以五百家在邯鄲常為是故與邯鄲親【為】于僞切又如字）而寘諸晉陽絕衛之道
也不如侵齊而謀之（侵齊則齊當來報欲因懼齊而徙則衛與邯鄲好不絕【寘】之豉切【好】呼報切）乃
如之而歸之于晉陽（欲如是謀而後歸衛貢）趙孟怒召午而囚諸晉陽（趙鞅）
（不察其謀謂午不用命故囚之）使其從者說劍而入涉賓不可（涉賓午家臣不肯說劍入欲謀
叛【從】才用切【說】他活切）乃使告邯鄲人曰吾私有討於午也二三子唯所

欲立（午趙鞅同族別封邯鄲使邯鄲人更立午宗親）故遂殺午趙稷涉賓以邯鄲叛（趙稷午子）夏六月上軍司馬籍秦圍邯鄲邯鄲午荀寅之甥也荀寅范吉射之姻也（婿父曰姻荀寅子娶吉射女）而相與睦故不與圍邯鄲將作亂（作亂攻趙鞅與音預又如字）董安于聞之（安于趙氏臣）告趙孟曰先備諸趙孟曰晉國有命始禍者死為後可也安于曰與其害於民寧我獨死（懼見攻必害民）請以我說趙孟不可（晉國若討可殺我以自解說）秋七月范氏中行氏伐趙氏之宮趙鞅奔晉陽晉人圍之范皐夷無寵於范吉射而欲為亂於范氏（皐夷范氏側室子行戶郎切）梁嬰父嬖於知文子（文子荀躒知音智）文子欲以為卿韓簡子與中行文子相惡（簡子韓起孫不信也中行文子荀寅也惡如字又烏路切下同）魏襄子亦與范昭子相惡（襄子魏舒孫曼多也昭子士吉射曼音萬）故五子謀（五子范皐夷梁嬰父文子韓簡子魏襄子）將逐荀寅而以梁嬰父代之逐范吉射而以范皐夷代之荀躒言於晉侯曰君命大臣始禍者死載書在河（為盟書沈之河躒力狄切沈如字又音鴆）今三臣始禍而獨逐鞅刑已不鈞矣請皆逐之冬十一月荀躒韓不信魏曼多奉公以伐范氏中行氏弗克二子將伐公齊高彊曰三折肱知為良醫（高彊齊子尾之子昭十年奔魯遂適晉三如字又息暫切折之設切肱古弘切）唯伐君為不可民弗與也我以伐君在此矣三家未睦（三家知韓魏）可盡克也克之君將誰與若先伐君是使睦也弗聽遂伐公國人助公二子敗從而伐之丁未荀寅士吉射奔朝歌韓魏以趙氏為請（經所以書趙鞅歸）趙鞅入于絳盟于公宮（傳錄晉衰亂）○初衛公叔文子朝而請享靈公（欲令公臨其家令力呈切）退見史鰌而告之（史鰌史魚鰌音秋）史鰌曰子必禍矣子富而君貪罪其及子乎文子曰然吾不先告子是吾罪也君既許我矣其若之何史鰌曰無害子臣可以免（言能執臣禮）富而能臣必免於難上下同之（言尊卑皆然難乃旦切）戍也驕其亡乎（戍文子之子）富而不驕者鮮吾唯子之見驕而不亡者未之有也戍必與焉（與禍難鮮息淺切與音預）及文子卒衛侯始惡於公叔戍以其富也公叔戍又

晉獻[illegible]父子[illegible]

而不[illegible]者[illegible]

[illegible]

將去夫人之黨靈公夫人南子黨宋朝之徒惡烏路切去起呂切朝如字夫人愬之曰戍將

爲亂爲明年戍來奔傳愬音素

經十有四年春衛公叔戍來奔○衛趙陽出奔宋陽趙黶孫書名者親富不

親仁黶於減切○二月辛巳楚公子結陳公孫佗人帥師滅頓以頓子

牂歸○夏衛北宮結來奔亦黨公叔戍皆惡之佗吐何切又徒河切牂子郎切惡烏路切○五月

於越敗吴于檇李於越越國也使罪人詐吴亂陳故從未陳之例書敗也檇李吴郡嘉興縣南醉李城檇音

醉依說文從木陳直覲切○吴子光卒未同盟而赴以名○公會齊侯衛侯于牽魏郡

黎陽縣東北有牽城黎力兮切○公至自會無傳○秋齊侯宋公會于洮洮曹地洮吐刀

切○天王使石尚來歸脤無傳石尚天子之士石氏尚名脤祭社之肉盛以脤器以賜同姓諸侯親

兄弟之國與之共福脤市軫切盛音成○衛世子蒯聵出奔宋蒯苦怪切聵五怪切○衛公

孟彄出奔鄭彄書名與蒯聵黨罪之○宋公之弟辰自蕭來奔無傳稱宋公之弟例

在十年○大蒐于比蒲比音毗○邾子來會公無傳會公于比蒲來而不用朝禮故曰會

○城莒父及霄無傳公叛晉助范氏故懼而城二邑也此年無冬史闕文父音甫切

左二十八　十二

傳十四年春衛侯逐公叔戍與其黨故趙陽奔宋戍來奔終史魚之

言○梁嬰父惡董安于謂知文子曰不殺安于使終爲政於趙氏

趙氏必得晉國盍以其先發難也討於趙氏文子使告於趙孟

曰范中行氏雖信爲亂安于則發之是安于與謀亂也晉國有

命始禍者死二子既伏其罪矣敢以告告使討安于盍戶臘切難乃旦切與音預趙

孟患之安于曰我死而晉國寧趙氏定將焉用生人誰不死吾

死莫矣乃縊而死趙孟尸諸市而告於知氏曰主命戮罪人安

于既伏其罪矣敢以告知伯從趙孟盟知伯荀躒焉於虔切莫音暮縊一四切而

後趙氏定祀安于於廟趙氏廟○頓子牂欲事晉背楚而絕陳好

二月楚滅頓傳言小不事大所以亡背音佩好呼報切○夏衛北宮結來奔公叔戍

之故也○吴伐越報五年越入吴越子勾踐禦之陳于檇李勾踐越王允常子勾

古侯切陳直覲切勾踐患吴之整也使死士再禽焉不動使敢死之士往輒爲吴所

禽欲使吴師亂取之而吴不動使罪人三行屬劒於頸以劒注頸行戶郎切下同屬之欲切下同又之

使罪人三行屬劍於頸[illegible]

[illegible]

[illegible]安于[illegible]

子既伏其罪矣敢以告知伯從趙孟盟而後趙氏定祀安[illegible]

死矣乃縊而死趙孟尸諸市而告於知氏曰主命戮罪人安

孟患之安于曰我死而晉國寧趙氏定將焉用生人誰不死吾

命始禍者死二子既伏其罪矣敢以告趙

曰范中行氏雖信為亂安于則發之是安于與謀亂也晉國有

[illegible]

經十有四年春衛公叔戍來奔[illegible]衛趙陽出奔宋[illegible]

[illegible]夫人[illegible]大子[illegible]夫人[illegible]曰蒯聵將

住切而辭曰二君有治治軍旅臣奸旗鼓犯令不敏於君之行前不
敢逃刑敢歸死遂自剄也師屬之目越子因而伐之大敗之靈
姑浮以戈擊闔廬姑浮越大夫剄古頂切本又作刎闔戶臘切闔廬傷將指取其一
屨其足大指見斬遂失屨姑浮取之將子匠切屨九具切還卒於陘去檇李七里釋經所以不書
滅陘音刑夫差使人立於庭夫差闔廬嗣子音扶庭音廷苟出入必謂己曰夫
差而忘越王之殺而父乎則對曰唯不敢忘三年乃報越後三年哀
元年唯惟鬼切舊以水切○晉人圍朝歌公會齊侯衛侯于脾上梁之閒脾上
梁閒即牽脾婢支切謀救范中行氏齊魯叛晉故助范中行也析成鮒小王桃甲率狄
師以襲晉二子晉大夫范中行氏之黨析星歷切鮒音附桃如字本又作姚戰于絳中不克而
還士鮒奔周小王桃甲入于朝歌秋齊侯宋公會于洮范氏故
也謀救范氏○衛侯爲夫人南子召宋朝南子宋女也朝宋公子舊通于南子在宋呼之爲于
僞切會于洮大子蒯聵獻盂于齊過宋野蒯聵衛靈公大子盂邑名也就會獻之故自衛
行而過宋野盂音于野人歌之曰既定爾婁豬盍歸吾艾豭婁豬求子豬以喻南子艾

豭喻宋朝艾老也婁力侯切字林作䝁力付切豬張魚切盍戶臘切艾五蓋切注同字林作豰音文三毛聚居者豭音加牡豕
也大子羞之謂戲陽速曰從我而朝少君速大子家臣戲許宜切少詩照切本亦作
小少君見我我顧乃殺之速曰諾乃朝夫人夫人見大子大子
三顧速不進夫人見其色啼而走見大子色變知其欲殺己曰蒯聵將殺余
公執其手以登臺大子奔宋盡逐其黨故公孟彄出奔鄭自鄭
奔齊大子告人曰戲陽速禍余戲陽速告人曰大子則禍余大
子無道使余殺其母余不許將戕於余戕殘殺也戕在良切若殺夫人將
以余說余是故許而弗爲以紓余死諺曰民保於信吾以信義
也使義可信不必信言紓音舒諺音彥○冬十二月晉人敗范中行氏之師於潞
獲籍秦高彊二子黨范氏者終景王言籍父無後潞音路父音甫又敗鄭師及范氏之師
于百泉鄭助范氏故并敗
經十有五年春王正月邾子來朝○鼷鼠食郊牛牛死改卜牛無傳
不言所食處舉死重也改卜禮也鼷音兮處昌慮切○二月辛丑楚子滅胡以胡子豹歸

[illegible]

經十有五年春王正月[illegible]

[illegible]

○夏五月辛亥郊無傳書過○壬申公薨于高寢高寢宮名不於路寢失其所○鄭
罕達帥師伐宋○齊侯衛侯次于渠蒢不果救故書次蒢直居切○邾子來
奔喪無傳諸侯奔喪非禮○秋七月壬申姒氏卒定公夫人○八月庚辰朔日
有食之無傳○九月滕子來會葬無傳諸侯會葬非禮也○丁巳葬我君定
公雨不克葬戊午日下昃乃克葬○辛巳葬定姒辛巳十月三日有日無月
昃音側○冬城漆邾庶其邑漆音七

傳十五年春邾隱公來朝邾子益子貢觀焉邾子執玉高其容仰
公受玉卑其容俯玉朝者之贄贄音至子貢曰以禮觀之二君者皆有死
亡焉夫禮死生存亡之體也將左右周旋進退俯仰於是乎取
之朝祀喪戎於是乎觀之今正月相朝而皆不度不合法度心已亡
矣嘉事不體何以能久嘉事朝禮高仰驕也卑俯替也驕近亂替近
疾君為主其先亡乎為此年公薨哀七年以邾子益歸傳替他計切近附近之近○吳之入
楚也在四年胡子盡俘楚邑之近胡者俘取也楚既定胡子豹又不

事楚曰存亡有命事楚何為多取費焉二月楚滅胡傳言小不事大所以
亡費芳味切○夏五月壬申公薨仲尼曰賜不幸言而中是使賜多
言者也以微知著知之難者子貢言語之士今言而中仲尼懼其易言故抑之中丁仲切微知著知之難並如字又音
智易以豉切○鄭罕達敗宋師于老丘罕達子蠡之子老丘宋地宋公子地奔鄭鄭人為之伐宋
欲取地以處之事見哀十二年蠡子何切為于僞切見賢遍切○齊侯衛侯次于蘧挐謀救宋
也蘧音渠挐女居切又女加切○秋七月壬申姒氏卒不稱夫人不赴且不
祔也赴同祔姑夫人之禮二者皆闕故不曰夫人祔音附○葬定公雨不克襄事禮也襄成
也雨而成事若汲汲於欲葬襄息羊切○葬定姒不稱小君不成喪也公未葬而夫人薨煩
於喪禮不赴不祔故不稱小君臣子怠慢也反哭於寢故書葬○冬城漆書不時告也實以秋城冬乃
告廟魯知其不時故緩告從而書之以示譏

春秋左氏傳卷第二十八

○夏五月辛亥郊○壬申公薨于高寢○鄭罕達帥師伐宋○齊侯衛侯次于渠蒢○邾子來奔喪○秋七月壬申姒氏卒○八月庚辰朔日有食之○九月滕子來會葬○丁巳葬我君定公雨不克葬戊午日下昃乃克葬○辛巳葬定姒○冬城漆

傳十五年春邾隱公來朝子貢觀焉邾子執玉高其容仰公受玉卑其容俯子貢曰以禮觀之二君者皆有死亡焉夫禮死生存亡之體也將左右周旋進退俯仰於是乎取之朝祀喪戎於是乎觀之今正月相朝而皆不度心已亡矣嘉事不體何以能久高仰驕也卑俯替也驕近亂替近疾君為主其先亡乎○夏五月壬申公薨仲尼曰賜不幸言而中是使賜多言者也○鄭罕達敗宋師于老丘○齊侯衛侯次于蘧挐謀救宋也○秋七月壬申姒氏卒不稱夫人不赴且不祔也○葬定公雨不克襄事禮也○葬定姒不稱小君不成喪也○冬城漆書不時告也

春秋左氏傳卷第二十八

春秋經傳集解哀上第二十九 哀公名蔣定公之子蓋夫人定姒所生敬王二十八年即位謚法恭仁短折曰哀

杜氏 盡十三年

經元年春王正月公即位無傳○楚子陳侯隨侯許男圍蔡隨世服於楚不通中國吳之入楚昭王奔隨隨人免之卒復楚國楚人德之使列於諸侯故得見經定六年鄭滅許此復見者蓋楚封之見賢遍切復扶又切○鼷鼠食郊牛改卜牛夏四月辛巳郊無傳書過也不言所食所食非一處昌慮切○秋齊侯衛侯伐晉○冬仲孫何忌帥師伐邾無傳

傳元年春楚子圍蔡報柏舉也在定四年里而栽栽設板築爲圍壘周币去蔡城一里栽才代切又音再注同說文云築牆長版壘力軌切币子合切廣丈高倍壘厚一丈高二丈廣古曠切高倍並如字高又古報切厚古豆切夫屯晝夜九日夫猶兵也壘未成故令人在壘裏屯守也屯徒門切注同令力呈切如子西之素子西本計爲壘當用九日而成蔡人男女以辨辨別也男女各別係纍而出降辨扶免切又方免切別彼列切纍力維切降戶江切使疆于江汝之間而還楚欲使蔡徙國在江水之北汝水之南求田以自安也疆居良切蔡於是乎請遷于吳楚既還蔡人更叛楚就吳爲明年蔡遷州來傳蔡權聽命故楚師還○吳王夫差敗越于夫椒報檇李也檇李在定十四年夫椒吳郡吳縣西南大湖中椒山夫音扶椒子消切檇音醉大音泰遂入越越子以甲楯五千保于會稽上會稽山也會稽在山陰縣南楯食允切又音允會古外切稽古兮切上時掌切使大夫種因吳大宰嚭以行成吳子將許之伍員曰不可臣聞樹德莫如滋去疾莫如盡昔有過澆殺斟灌以伐斟鄩澆寒浞子封於過者二斟夏同姓諸侯襄四年傳曰澆用師滅斟灌及斟鄩本又作去惡過古禾切國名澆五叫切又五報切員音云去起呂切斟之林切灌古亂切鄩音尋浞仕捉切夏戶雅切滅夏后相夏后相啟孫也后相失國依於二斟復爲澆所滅相息亮切復扶又切后緡方娠逃出自竇后緡相妻娠懷身也緡亡巾切娠音震又音身竇音豆歸于有仍后緡有仍氏女生少康焉爲仍牧正牧官之長少詩照切長丁丈切惎澆能戒之惎毒也戒備也惎音忌澆使椒求之椒澆臣逃奔有虞爲之庖正以除其害虞舜後諸侯也梁國有虞縣庖正掌膳羞之官賴此以得除己害庖步交切虞思於是妻之以二姚虞思虞君有二女妻少康姚虞姓妻七計切姚羊昭切而邑諸綸綸虞邑綸音倫有田一成有衆一旅方十里爲成五百人爲旅能布其德而兆其謀兆始也以收夏衆撫其官職

春秋經傳集解哀公第二十九

哀公　盡十三年

經元年春王正月，公即位。楚子、陳侯、隨侯、許男圍蔡。鼷鼠食郊牛，改卜牛。夏四月辛巳，郊。秋，齊侯、衛侯伐晉。冬，仲孫何忌帥師伐邾。

傳元年春，楚子圍蔡，報柏舉也。里而栽，廣丈，高倍。夫屯晝夜九日，如子西之素。蔡人男女以辨。使疆于江、汝之間而還。蔡於是乎請遷于吳。

○吳王夫差敗越于夫椒，報檇李也。遂入越。越子以甲楯五千保于會稽，使大夫種因吳大宰嚭以行成。吳子將許之。伍員曰：不可。臣聞之，樹德莫如滋，去疾莫如盡。昔有過澆殺斟灌以伐斟鄩，滅夏后相。后緡方娠，逃出自竇，歸于有仍，生少康焉。為仍牧正，惎澆能戒之。澆使椒求之，逃奔有虞，為之庖正，以除其害。虞思於是妻之以二姚，而邑諸綸。有田一成，有眾一旅。

襄四年傳曰靡自有鬲氏收二國之燼以滅浞而立少康（鬲）音革（燼）徐刃切又秦刃切 使女艾諜澆 女艾少康臣諜候也（艾）五蓋切（諜）音牒 使季杼誘豷 豷澆弟也季杼少康子后杼也（杼）直呂切（豷）許器切 遂滅過戈復禹之績 過澆國戈豷國（過）古禾切（績）一本作迹 祀夏配天不失舊物 物事也 今吳不如過而越大於少康或將豐之不亦難乎 言越成大必為吳難（難）乃旦切 句踐能親而務施施不失人 所加惠賜皆得其人（施）始豉切 親不棄勞 推親愛之誠則不遺小勞 與我同壤而世為仇讎於是乎克而弗取將又存之違天而長寇讎 言天與不取（長）丁丈切 後雖悔之不可食已 食消也已止也 姬之衰也日可俟也 姬吳姓言可計日而待（俟）本又作竢音仕 介在蠻夷而長寇讎以是求伯必不行矣弗聽退而告人曰越十年生聚而十年教訓 生民聚財富而後教之（介）音界（伯）如字又音霸（長）丁丈切又如字 二十年之外吳其為沼乎 謂吳宮室廢壞當為汙池為二十二年越入吳起本（沼）之兆切（汙）音烏 三月越及吳平吳入越不書吳不告慶越不告敗也 嫌夷狄不與華同故復發傳（復）扶又切 ○夏四月齊侯衛侯救邯鄲圍五鹿 趙稷以邯鄲叛范中行氏之黨五鹿晉邑（邯）音寒（鄲）音丹 ○

吳之入楚也 在定四年 使召陳懷公懷公朝國人而問焉曰欲與楚者右欲與吳者左陳人從田無田從黨 都邑之人無田者隨黨而立不知所與故直從所居田在西者居右在東者居左 逢滑當公而進 當公不左不右（滑）于八切 曰臣聞國之興也以福其亡也以禍今吳未有福楚未有禍楚未可棄吳未可從而晉盟主也若以晉辭吳若何公曰國勝君亡非禍而何 楚為吳所勝 對曰國之有是多矣何必不復小國猶復況大國乎臣聞國之興也視民如傷是其福也 如傷恐驚動 其亡也以民為土芥是其禍也 芥草也（芥）古邁切 楚雖無德亦不艾殺其民吳日敝於兵暴骨如莽 草之生於廣野莽莽然故曰草莽（艾）魚廢切（暴）步卜切（莽）亡黨切 而未見德焉天其或者正訓楚也 使懼而改過 禍之適吳其何日之有 言今至 陳侯從之及夫差克越乃脩先君之怨 傳言吳不脩德而脩怨所以亡 秋八月吳侵陳脩舊怨也 ○齊侯衛侯會于乾侯救范氏也師及齊師衛孔圉鮮虞人伐晉取棘蒲 魯師不書非公命也孔圉孔烝鉏曾孫鮮虞狄帥賤故不書（圉）魚呂切（烝）之承切（鉏）仕居切

（[illegible]）使女艾諜澆（[illegible]少康[illegible]）

（[illegible]）使季杼誘豷（杼直呂切[illegible]）

遂滅過戈復禹之績（古禾切本國[illegible]一本作[illegible]）祀夏配天不失舊

物（[illegible]事）今吳不如過而越大於少康或將豐之不亦難乎（[illegible]）

（[illegible]）句踐能親而務施施不失人（[illegible]其所有[illegible]皆得與）

親不棄勞（[illegible]不觀[illegible]遺愛）與我同壤而世為仇讎於是乎克而弗

取將又存之違天而長寇讎後雖悔之不可食已（[illegible]）

已（[illegible]止也）姬之衰也日可俟也（[illegible]）介在蠻夷而

長寇讎以是求伯必不行矣弗聽退而告人曰越十年生聚而

十年教訓（[illegible]）二十年之外吳其

為沼乎（[illegible]）三月越及吳平吳

入越不書吳不告慶越不告敗也（[illegible]）○夏四

月齊侯衛侯救邯鄲圍五鹿（[illegible]）○

吳之入楚也（在定四年）使召陳懷公懷公朝國人而問焉曰欲與楚

者右欲與吳者左陳人從田無田從黨（田在西者居右田在東者居左[illegible]都邑之人無田者隨黨而立不知所與故直從所居）

逢滑當公而進（[illegible]）曰臣聞國之興

也以福其亡也以禍今吳未有福楚未有禍楚未可棄吳未可

從而晉盟主也若以晉辭吳若何公曰國勝君亡非禍而何（[illegible]）

對曰國之有是多矣何必不復小國猶復況大國乎臣聞

國之興也視民如傷是其福也（恐驚動）其亡也以民為土芥是

其禍也（芥草也[illegible]古邁切）楚雖無德亦不艾殺其民吳日敝於兵暴骨

如莽（[illegible]）而未見德焉天其或者

正訓楚也（[illegible]）禍之適吳其何日之有（言今至）陳侯從之及夫

差克越乃修先君之怨秋八月吳侵陳修舊怨也（[illegible]）

○齊侯衛侯會于乾侯救范氏也師及齊師衛孔圉鮮虞

人伐晉取棘蒲（[illegible]魯師非公命也故不書[illegible]）

○兵師在陳楚大夫皆懼曰闔廬惟能用其民以敗我於柏舉今聞其嗣又甚焉將若之何子西曰二三子恤不相睦無患吳矣昔闔廬食不二味居不重席室不崇壇平地作室不起壇也重直龍切壇徒丹切器不彤鏤彤丹也鏤刻也彤徒冬切鏤魯豆切宮室不觀觀臺榭觀古亂切榭音謝舟車不飾衣服財用擇不取費擇取堅厚不尚細靡費芳味切在國天有菑癘癘疾疫也菑音災癘本或作天無菑癘非注同疫音役親巡孤寡而共其乏困在軍熟食者分而後敢食必須軍士皆分熟食不敢先食分猶徧也共音恭熟食者分如字一讀以分字連下句徧音遍其所嘗者卒乘與焉所嘗甘珍非常食卒子忽切乘繩證切與音預勤恤其民而與之勞逸是以民不罷勞死知不曠知身死不見曠棄罷音皮吾先大夫子常易之所以敗我也易猶反也今聞夫差次有臺榭陂池焉積土為高曰臺有木曰榭過再宿曰次陂彼宜切宿有妃嬙嬪御焉妃嬙貴者嬪御賤者皆內官嬙本又作廧或作嬙在羊切嬪毗人切一日之行所欲必成玩好必從珍異是聚觀樂是務視民如讎而用之日新夫先自敗也已安能敗我為二十二年越滅吳起好呼報切夫先自敗也已夫音扶本或作夫差先自敗者非○冬十一月晉趙鞅伐朝歌討范中行氏

經二年春王二月季孫斯叔孫州仇仲孫何忌帥師伐邾取漷東田及沂西田邾人以賂取之易也漷火虢切又音郭沂魚依切易以豉切○癸巳叔孫州仇仲孫何忌及邾子盟于句繹句繹邾地取邑盟以要之句古侯切繹音亦要以遙切○夏四月丙子衛侯元卒定四年盟皐鼬○滕子來朝無傳○晉趙鞅帥師納衛世子蒯聵于戚○秋八月甲戌晉趙鞅帥師及鄭罕達帥師戰于鐵鄭師敗績晉陳曰戰大崩曰敗績鐵在戚城南罕達子皮孫鐵天結切陳直覲切○冬十月葬衛靈公無傳七月而葬緩○十有一月蔡遷于州來畏楚而請遷故以自遷為文○蔡殺其大夫公子駟懷土而欺大國故罪而書名

傳二年春伐邾將伐絞絞邾邑絞古卯切邾人愛其土故賂以漷沂之田而受盟○初衛侯遊于郊子南僕子南靈公子郢也僕御也郢以井切公曰余無子將立女蒯聵奔無大子女音汝不對他日又謂之對曰郢不足以辱社稷君其改圖君夫人在堂三揖在下三揖卿大夫士揖一入切君命祇辱

吳師在陳楚大夫皆懼曰闔廬惟能用其民以敗我於柏舉今聞其嗣又甚焉將若之何子西曰二三子恤不相睦無患吳矣昔闔廬食不二味居不重席室不崇壇器不彤鏤宮室不觀舟車不飾衣服財用擇不取費在國天有菑癘親巡孤寡而共其乏困在軍熟食者分而後敢食其所嘗者卒乘與焉勤恤其民而與之勞逸是以民不罷勞死知不曠吾先大夫子常易之所以敗我也今聞夫差次有臺榭陂池焉宿有妃嬙嬪御焉一日之行所欲必成玩好必從珍異是聚觀樂是務視民如讎而用之日新夫先自敗也已安能敗我○冬十一月晉趙鞅伐朝歌

經二年春王二月季孫斯叔孫州仇仲孫何忌帥師伐邾取漷東田及沂西田○癸巳叔孫州仇仲孫何忌及邾子盟于句繹○夏四月丙子衛侯元卒○滕子來朝○晉趙鞅帥師納衛世子蒯聵于戚○秋八月甲戌晉趙鞅帥師及鄭罕達帥師戰于鐵鄭師敗績○冬十月葬衛靈公○十有一月蔡遷于州來○蔡殺其大夫公子駟

傳二年春伐邾將伐絞邾人愛其土故賂以漷沂之田而受盟○初衛侯游于郊子南僕公曰余無子將立女不對他日又謂之對曰郢不足以辱社稷君其改圖君夫人在堂三揖在下君命祇辱

言立適當以禮與外內同之今君私命事必不從適爲原[illegible]音支適丁歷切下適孫同夏衛靈公卒夫人
曰命公子郢爲大子君命也對曰郢異於他子言用意不同且君沒
於吾手若有之郢必聞之言當以臨設爲正且亡人之子輒在輒蒯聵之子出
公也靈公適孫乃立輒六月乙酉晉趙鞅納衛大子于戚宵迷陽虎曰
右河而南必至焉是時河北流過元城界戚在河外晉軍已渡河故欲出河右而南使大子絻
絻者始發喪之服絻音問喪音桑八人衰絰僞自衛逆者欲爲衛人逆故衰絰成服衰七雷切絰田
結切告於門哭而入遂居之○秋八月齊人輸范氏粟鄭子姚子
般送之子姚罕達子般駟弘般音班士吉射逆之趙鞅禦之遇於戚陽虎曰
吾車少以兵車之旆與罕駟兵車先陳旆先驅車也以先驅車益以兵車以示衆陳直
覲切罕駟自後隨而從之彼見吾貌必有懼心晉人先陳鄭人隨之不知其虛實見
車多必懼於是乎會之會合戰必大敗之從之卜戰龜焦兆不成樂丁曰
詩曰爰始爰謀爰契我龜樂丁晉大夫詩大雅言先人事後卜契苦計切又苦結切謀協
以故兆詢可也詢諮詢也故兆始納衛大子卜得吉兆言今既謀同可不須更卜謀協以故兆絕句詢思遵切
簡子誓曰范氏中行氏反易天明不事君也斬艾百姓欲擅晉國而
滅其君寡君恃鄭而保焉今鄭爲不道棄君助臣二三子順天
明從君命經德義除詬恥在此行也克敵者上大夫受縣下大
夫受郡周書作雒篇千里百縣縣有四郡艾魚廢切擅市戰切而滅其君滅或作戕音殘詬呼豆切又音苟雒音洛千
里百縣縣方百里縣有四郡郡方五十里士田十萬十萬畝也庶人工商遂得遂進仕人臣隸
圉免去廝役廝役如字字又作斯音同何休注公羊云艾草爲防者曰廝汲水漿者曰役蘇林注漢書云廝取薪者章昭
云析薪曰廝志父無罪君實圖之志父趙簡子之一名也言已事濟君當圖其賞父音甫服云趙鞅入
晉陽以畔後得歸故名志父春秋仍舊猶書趙鞅若其有罪絞縊以戮絞所以縊人物縊一賜切戮音
六桐棺三寸不設屬辟屬辟棺之重數王棺四重君再重大夫一重釋文桐棺三寸禮記云夫子制於
中都四寸之棺五寸之椁以斯知不欲速朽也鄭康成注云此庶人之制也案禮上大夫棺八寸屬六寸下大夫棺六寸屬四
寸無三寸棺制也桐用難朽之木桐木易壞不堪爲棺故以爲罰墨子尚儉有桐棺三寸不設屬音燭注同次大棺也辟步歷
切注同親身棺也禮大夫無辟重直龍切下同王棺四重禮記云水兕革棺被之其厚三寸杝棺一梓棺二杝棺辟也梓棺二
屬與大棺也被水牛及兕之革爲一重椑爲二重屬爲三重大棺爲四重君再重君謂侯伯子男侯伯已下無革棺屬與椑爲

夏衛靈公卒。夫人曰：命公子郢為大子，君命也。對曰：郢異於他子，（不言同用意）且君沒於吾手，若有之，郢必聞之。（[illegible]）且亡人之子輒在。（[illegible]）乃立輒。六月乙酉，晉趙鞅納衛大子于戚。宵迷，陽虎曰：右河而南，必至焉。（[illegible]）使大子絻，八人衰絰，偽自衛逆者，（[illegible]）告於門，哭而入，遂居之。○秋八月，齊人輸范氏粟，鄭子姚、子般送之。（[illegible]）士吉射逆之，趙鞅禦之，遇於戚。陽虎曰：吾車少，以兵車之旆與罕、駟兵車先陳。（[illegible]）罕、駟自後隨而從之，彼見吾貌，必有懼心。（[illegible]）於是乎會之，（會合）必大敗之。從之。卜戰，龜焦。（[illegible]）樂丁曰：詩曰：爰始爰謀，爰契我龜。（[illegible]）謀協，以故兆詢可也。（[illegible]）

簡子誓曰：范氏、中行氏反易天明，（言不事也）斬艾百姓，欲擅晉國而滅其君。寡君恃鄭而保焉。今鄭為不道，棄君助臣，二三子順天明，從君命，經德義，除詬恥，在此行也。克敵者，上大夫受縣，下大夫受郡，（[illegible]）士田十萬，（[illegible]）庶人工商遂，（[illegible]）人臣隸圉免。（[illegible]）志父無罪，君實圖之。（[illegible]）若其有罪，絞縊以戮，（[illegible]）桐棺三寸，不設屬辟，（[illegible]）

一重大棺爲再重上公則唯無水革耳兕革與陴爲一重屬爲再重大棺爲三重大夫一重大夫唯屬與大棺爲一重今云不
設辟者時僭耳非王禮也素車樸馬以載柩樸普角切柩其又切無入于兆兆域下卿之
罰也爲衆設賞自設罰以能克敵爲于僞切甲戌將戰郵無恤御簡子衛大子爲
右郵無恤王良也郵音尤登鐵上鐵丘名望見鄭師衆大子懼自投于車下
子良授大子綏而乘之曰婦人也言其怯去業切怯簡子巡列曰畢萬
匹夫也七戰皆獲有馬百乘死於牖下畢萬晉獻公卿也皆獲有功死於牖下言得壽
繇羊九切繩證切三子晉大夫羣子勉之死不在寇言有命繁羽御趙羅宋勇爲右
羅無勇麇之麇束縛也麇丘隕切吏詰之御對曰痁作而伏痁瘧疾也
詰起吉切痁詩占切瘧魚略切衛大子禱曰曾孫蒯聵敢昭告皇祖文王周文王
大也禱丁報切又丁老切烈祖康叔烈顯也文祖襄公繼業守文故曰文祖蒯聵襄公之孫鄭勝
亂從勝鄭聲公名釋君助臣爲從於亂晉午在難午晉定公名難乃旦切下注爲難同不能治亂
使鞅討之鞅簡子名蒯聵不敢自佚備持矛焉戎右持矛佚音逸又作逸矛亡侯切敢告
無絕筋無折骨無面傷以集大事無作三祖羞集成也筋居銀切大命

左二十九　五　沮

不敢請佩玉不敢愛不敢愛故以祈禱鄭人擊簡子中肩斃于車中斃踣
也中丁仲切本亦作斃斃婢世切踣蒲北切獲其蠭旗蠭旗旗名蠭芳恭切大子救之以戈鄭
師北獲溫大夫趙羅羅無勇故鄭師雖北猶獲羅大子復伐之鄭師大敗獲
齊粟千車趙孟喜曰可矣趙孟簡子也喜大子怯今更勇復扶又切傅傁曰雖克
鄭猶有知在憂未艾也前傳使簡子屬也晉陽之吏傁素口切又作叟知音智知氏將爲難後竟有
魚廢切又五蓋切初周人與范氏田公孫尨稅焉尨范氏臣爲范氏收周人所與田之稅尨
武江切于僞切下爲其主同稅始銳切爲趙氏得而獻之得尨以獻簡子吏請殺之趙孟曰
爲其主也何罪止而與之田還其所稅及鐵之戰以徒五百人宵攻
鄭師取蠭旗於子姚之幕下獻曰請報主德追鄭師姚般公孫
林殿而射前列多死晉前列子姚子般幕音莫殿丁電切射食亦切趙孟曰國無小
言雖小國猶有善射者既戰簡子曰吾伏弢嘔血弢弓衣嘔吐也弢本又作韜吐刀切嘔烏口切
囮他路切鼓音不衰今日我上也功爲上大子曰吾救主於車退敵於
下我右之上也郵良曰我兩靷將絕吾能止之止使不絕靷以刃切我御

[illegible]

之上也駕而乘材兩靷皆絕（材橫木明細小也傳言簡子不讓下自伐）○吳洩庸如蔡納聘而稍納師師畢入衆知之（元年蔡請遷于吳中悔故因聘襲之(洩)息列切又息引切）（(中)丁仲切）蔡侯告大夫殺公子駟以說（殺駟以說吳言不時遷駟之爲）哭而遷墓（將遷與先君辭故哭）冬蔡遷于州來

經三年春齊國夏衛石曼姑帥師圍戚（曼姑爲子圍父知其不義故推齊使爲兵首戚不稱衛非叛人(曼)音萬(爲)于僞切）○夏四月甲午地震（無傳）○五月辛卯桓宮僖宮災（天火曰災）○季孫斯叔孫州仇帥師城啓陽（無傳魯黨范氏故懼晉比年四城啓陽今琅邪開陽縣）○宋樂髡帥師伐曹（無傳(髡)苦孫切）○秋七月丙子季孫斯卒○蔡人放其大夫公孫獵于吳（無傳公子駟之黨）○冬十月癸卯秦伯卒（無傳不書名未同盟）○叔孫州仇仲孫何忌帥師圍邾（無傳）

傳三年春齊衛圍戚求援于中山（中山鮮虞）○夏五月辛卯司鐸火（司鐸宮名(鐸)待洛切）火踰公宮桓僖災（桓公僖公廟）救火者皆曰顧府（言常人愛財）南宮敬叔至命周人出御書俟於宮（敬叔孔子弟子南宮閱周人司周書典籍之官御書進於君者也使待命於宮(閱)音悅）曰庀女而不在死（庀具也(庀)匹婢切(女)音汝）子服景伯至命宰人出禮書（景伯子服何也宰人冢宰之屬）以待命命不共有常刑（待命求之(共)音恭）校人乘馬巾車脂轄（校人掌馬巾車掌車乘馬使四四相從爲駕之易(校)戶教切(乘)繩證切下同(轄)戶瞎切本又作鎋同(爲)于僞切(易)以豉切）百官官備府庫愼守官人肅給（國有火災恐有變難故愼爲備(難)乃旦切）濟濡帷幕鬱攸從之（鬱攸火氣也濡物於水出用爲濟(濟)子細切又子禮切(帷)位悲切(幕)音莫(攸)音由）蒙葺公屋（以濡物冒覆公屋(葺)七入切又子入切）自太廟始外內以悛（悛次也先尊後卑以次救之(悛)七全切）助所不給有不用命則有常刑無赦公父文伯至命校人駕乘車（乘車公車）季桓子至御公立于象魏之外（象魏門闕）命救火者傷人則止財可爲也命藏象魏（周禮正月縣教令之法于象魏使萬民觀之故謂其書爲象魏(縣)音玄）曰舊章不可亡也富父槐至曰無備而官辦者猶拾瀋也（槐富父終生之後瀋汁也言不備而責辦不可得(父)音甫(槐)音懷(辦)辦具之辦(拾)音十(瀋)尺審切北土呼汁爲瀋）於是乎去表之槀（表表火道風所向者去其槀積(去)起呂切(槀)古老切(向)許亮切(積)子賜切）道還公宮（開除道周帀公宮使火無相連(還)本又作環戶關切又音患同）孔子在陳聞火曰

其栢僖乎言栢僖親盡而廟不毀宜爲天所災○劉氏范氏世爲婚姻劉氏周卿士范氏晉卿
大夫萇弘事劉文公爲之屬大夫故周與范氏趙鞅以爲討責周與范氏六
月癸卯周人殺萇弘終違天之禍○秋季孫有疾命正常曰無死正常
栢子之寵臣欲付以從事故勑令勿從己死令力呈切南孺子之子男也則以告而立之
南孺子季栢子之妻言若生男告公而立之孺如住切女也則肥也可肥康子也季孫卒康子
即位既葬康子在朝在公朝也南氏生男正常載以如朝告曰夫子
有遺言命其圉臣曰南氏生男則以告於君與大夫而立之今
生矣男也敢告遂奔衛康子請退退辟位也公使共劉視之共劉魯大夫共
音恭則或殺之矣乃討之討殺者召正常正常不反畏康子也傳備言季氏家事
○冬十月晉趙鞅圍朝歌師于其南范中行所在荀寅伐其郛伐其北郭
圍郛芳夫切使其徒自北門入已犯師而出荀寅使在外救已之徒擊趙氏圍之北門因外
內攻得出癸丑奔邯鄲十一月趙鞅殺士皐夷惡范氏也惡范氏而殺其族言
遷怒惡烏路切

經四年春王二月庚戌盜殺蔡侯申賤者故稱盜不言弒其君賤盜也弒申志切蔡侯申
今本皆如此案宣十七年蔡侯申卒是文侯也今昭侯是其玄孫不容與高祖同名未詳何者誤也○蔡公孫辰
出奔吳弒君賊之黨故書名○葬秦惠公無傳○宋人執小邾子無傳邾子無道於其
民故稱人以執○夏蔡殺其大夫公孫姓公孫霍皆弒君黨姓音生又作生或音性○
晉人執戎蠻子赤歸于楚晉恥爲楚執諸侯故稱人以告者蠻子不道於其民也赤本屬楚故言歸
恥爲于偽切○城西郛無傳魯西郭備晉也○六月辛丑亳社災無傳天火也亳社殷社諸
侯有之所以戒亡國亳步各切○秋八月甲寅滕子結卒無傳同盟於皐鼬○冬十有
二月葬蔡昭公無傳亂故是以緩○葬滕頃公無傳
傳四年春蔡昭侯將如吳諸大夫恐其又遷也承承音懲蓋楚言懲直升切
公孫翩逐而射之入於家人而卒翩蔡大夫翩音篇射食亦切下同以兩矢門
之衆莫敢進翩以矢自守其門文之鍇後至鍇蔡大夫鍇音楷又音皆又客駭切曰如牆
而進多而殺二人併行如牆俱進併步頂切鍇執弓而先翩射之中肘鍇遂
殺之故逐公孫辰而殺公孫姓公孫盱盱即霍也中丁仲切肘女九切盱況于切○

夏楚人既克夷虎（夷虎蠻夷叛楚者）乃謀北方左司馬眅申公壽餘葉公諸梁致蔡於負函（三子楚大夫也此蔡之故地人民楚因以爲邑致之者會其衆也眅普版切字林匹葌切葉始涉切函音咸）致方城之外於繒關（負函繒關皆楚地繒才陵切）曰吳將泝江入郢（逆流曰泝泝音素郢以井切又以政切）將奔命焉爲一昔之期襲梁及霍（爲僞辭當備吳夜結期明日便襲梁霍使不知之梁河南梁縣西南故城也梁南有霍陽山皆蠻子之邑也）單浮餘圍蠻氏蠻氏潰（單浮餘楚大夫單音善潰戶內切）蠻子赤奔晉陰地（陰地河南山北自上雒以東至陸渾渾戶門切）司馬起豐析與狄戎（楚司馬販也析縣屬南鄉郡析南有豐鄉皆楚邑發此二邑人及戎狄析星歷切）以臨上雒左師軍于菟和（菟和山在上雒東也菟音徒）右師軍于倉野（倉野在上雒縣）使謂陰地之命大夫士蔑（命大夫別縣監尹監古銜切）曰晉楚有盟好惡同之若將不廢寡君之願也不然將通於少習以聽命（少習商縣武關也將大開武關道以伐晉少詩照切又如字）士蔑請諸趙孟趙孟曰晉國未寧安能惡於楚必速與之（未寧時有范中行之難難乃旦切）士蔑乃致九州之戎（九州戎在晉陰地陸渾者）將裂田以與蠻子而城之（以詐蠻子）且將爲之卜（卜城爲于僞切）蠻子聽卜遂執之與其五大夫以畀楚師于三戶（今丹水縣北三戶亭畀必利切）司馬致邑立宗焉以誘其遺民（楚復詐爲蠻子作邑立其宗主復扶又切）而盡俘以歸○秋七月齊陳乞弦施衛甯跪救范氏（陳乞僖子弦施弦多跪其委切）庚午圍五鹿（五鹿晉地）九月趙鞅圍邯鄲冬十一月邯鄲降荀寅奔鮮虞趙稷奔臨（臨晉邑降戶江切）十二月弦施逆之遂墮臨國夏伐晉取邢任欒鄗逆畤陰人盂壺口（八邑晉地欒在趙國平棘縣西北鄗即高邑縣也路縣東有壺口關墮許規切邢音刑任音壬欒力官切鄗呼洛切郭璞三蒼解詁音臛字林火沃切韋昭呼告切闞駰云讀磽确同畤音止盂音于）會鮮虞納荀寅于柏人（柏人晉邑也今趙國柏人縣弦施與鮮虞會也）

經五年春城毗（無傳備晉也毗頻夷切）○夏齊侯伐宋（無傳）○晉趙鞅帥師伐衛○秋九月癸酉齊侯杵臼卒（再同盟也杵昌呂切臼求又切）○冬叔還如齊○閏月葬齊景公（無傳）

傳五年春晉圍柏人荀寅士吉射奔齊初范氏之臣王生惡張柳朔言諸昭子使爲柏人（昭子范吉射也爲柏人宰也惡烏路切下同柳良久切）昭子曰

夫非而讎乎對曰私讎不及公公家之事也夫音扶好不廢過惡不去善
義之經也臣敢違之及范氏出出柏人奔齊好呼報切去起吕切張柳朔謂其
子爾從主勉之我將止死王生授我矣授我死節吾不可以僭之遂
死於柏人爲吉射距晉戰死僭子念切後同爲于僞切○夏趙鞅伐衛范氏之故也
遂圍中年衛助范氏故也○齊燕姬生子不成而死燕姬景公夫人不成未冠也燕於賢
切冠古喚切諸子鬻姒之子荼嬖諸子庶公子也鬻姒景公妾荼安孺子鬻音育姒音似荼音舒又音
徒又丈加切嬖必計切諸大夫恐其爲大子也言於公曰君之齒長矣未
有大子若之何公曰二三子間於憂虞則有疾疢亦姑謀樂何
憂於無君景公意欲立荼而未發故以此言塞大夫請長丁丈切間音閑又音間廁之間又如字疢勑覲切本或
作疹乃結切樂音洛公疾使國惠子高昭子立荼惠子國夏昭子高張寘羣公子於
萊萊齊東鄙邑寘之豉切羣或作諸萊音來秋齊景公卒冬十月公子嘉公子駒公
子黔奔衛公子鉏公子陽生來奔皆景公子在萊者黔巨廉切又音琴鉏仕居切萊人
歌之曰景公死乎不與埋三軍之事乎不與謀師乎師乎何黨

之乎師衆也黨所也之往也[illegible]謚蓋葬後而爲此歌哀羣公子失所與音預埋亡皆切○鄭駟四秦富而
侈嬖大夫也而常陳卿之車服於其庭鄭人惡而殺之子思曰
詩曰不解于位民之攸墍子思子國參也詩大雅攸所也墍息也侈昌氏切又尺氏切惡烏路
切解佳賣切墍許器切不守其位而能久者鮮矣商頌曰不僭不濫不敢
怠皇命以多福僭差也濫溢也皇暇也言駟秦違詩商頌故受禍鮮息淺切濫力暫切溢音逸
經六年春城邾瑕無傳備晉也任城亢父縣北有邾婁城瑕音遐任音壬亢苦浪切又音剛父音甫○
晉趙鞅帥師伐鮮虞○吳伐陳○夏齊國夏及高張來奔二子阿君
叔還會吳于柤無傳柤莊加切○秋
七月庚寅楚子軫卒未同盟而赴以名軫之忍切史記作珍○齊陽生入于齊爲陳
乞所逆故書入○齊陳乞弑其君荼弑荼者朱毛與陽生也而書陳乞所以明乞立陽生而荼見弑則禍
由乞始也楚比劫立陳乞流涕子家禪老皆疑於免罪故春秋明而書之以爲弑主弑音試下皆同○冬仲孫
何忌帥師伐邾無傳○宋向巢帥師伐曹無傳
傳六年春晉伐鮮虞治范氏之亂也四年鮮虞納荀寅子柏人○吳伐陳復

夫非而讎乎對曰私讎不及公好不廢過惡不去善義之經也臣敢違之及范氏出張柳朔謂其子爾從主勉之我將止死王生授我矣吾不可以僭之遂死於柏人○夏趙鞅伐衛范氏之故也遂圍中牟○齊燕姬生子不成而死諸子鬻姒之子荼嬖諸大夫恐其為大子也言於公曰君之齒長矣未有大子若之何公曰二三子間於憂虞則有疾疢亦姑謀樂何憂於無君公疾使國惠子高昭子立荼寘羣公子於萊秋齊景公卒冬十月公子嘉公子駒公子黔奔衛公子鉏公子陽生來奔萊人歌之曰景公死乎不與埋三軍之事乎不與謀師乎師乎何黨之乎○鄭駟秦富而侈嬖大夫也而常陳卿之車服於其庭鄭人惡而殺之子思曰詩曰不解于位民之攸塈不守其位而能久者鮮矣商頌曰不僭不濫不敢怠皇命以多福

經六年春城邾瑕○晉趙鞅帥師伐鮮虞○吳伐陳○夏齊國夏及高張來奔○叔還會吳于柤○秋七月庚寅楚子軫卒○齊陽生入于齊○齊陳乞弒其君荼○冬仲孫何忌帥師伐邾○宋向巢帥師伐曹

傳六年春晉伐鮮虞治范氏之亂也○吳伐陳復修舊怨也

脩舊怨也（元年未得志故也復扶又切）楚子曰吾先君與陳有盟不可以不
救乃救陳師于城父（陳盟在昭十三年父音甫）○齊陳乞僞事高國者（高張國夏）
（受命立荼陳乞欲害之故先僞事焉）每朝必驂乘焉所從必言諸大夫（言其罪過乘繩證切）
曰彼皆偃蹇將棄子之命（偃蹇驕敖偃約免切蹇紀晚切敖五報切）皆曰高國得君
（得君寵也）必偪我盍去諸固將謀子子早圖之圖之莫如盡滅之需
事之下也（需疑也偪音逼盍戶臘切去起呂切下同需音須一音儒弱持疑也）及朝則曰彼虎狼
也見我在子之側殺我無日矣請就之位（欲與諸大夫謀高國故求就之）又謂
諸大夫曰二子者禍矣恃得君而欲謀二三子曰國之多難貴
寵之由盡去之而後君定既成謀矣盍及其未作也先諸作而
後悔亦無及也大夫從之夏六月戊辰陳乞鮑牧（牧鮑國孫難乃旦切鮑州
牧之牧）及諸大夫以甲入于公宮昭子聞之與惠子乘如公戰于
莊敗（高國敗也莊六軌之道乘繩證切）國人追之國夏奔莒遂及高張晏圉弦
施來奔（晏圉嬰之子圉施不書非卿圉魚呂切）○秋七月楚子在城父將救陳卜
戰不吉卜退不吉王曰然則死也再敗楚師不如死（前已敗於柏舉今若
退還亦是敗）棄盟逃讎亦不如死死一也其死讎乎命公子申爲王
不可則命公子結亦不可則命公子啓（申子西結子期啓子閭皆昭王兄）五辭
而後許將戰王有疾庚寅昭王攻大冥卒于城父（大冥陳地吳師所在冥本
又作辤說文云辤不受也受辛宜辤也辭籀文冥亡丁切）子閭退曰君王舍其子而讓羣臣
敢忘君乎從君之命順也（從命奇立舍音捨）立君之子亦順也二順不
可失也與子西子期謀潛師閉塗逆越女之子章立之而後還
（潛師密發也閉塗不通外使也越女昭王妾章惠王）是歲也有雲如衆赤鳥夾日以飛三
日楚子使問諸周大史周大史曰其當王身乎（日爲人君妖氣守之故以爲當
王身雲在楚上唯楚見之故禍不及他國夾古洽切大音泰）若禜之可移於令尹司馬（禜禳祭禜
音詠禳如羊切）王曰除腹心之疾而寘諸股肱何益不穀不有大過天
其夭諸有罪受罰又焉移之遂弗禜初昭王有疾卜曰河爲祟
王弗祭大夫請祭諸郊王曰三代命祀祭不越望（諸侯望祀竟內山川星辰）

(祟)息遂切　江漢雎漳楚之望也四水在楚界(雎)七餘切　禍福之至不是過也不
穀雖不德河非所獲罪也遂弗祭孔子曰楚昭王知大道矣其
不失國也宜哉夏書曰惟彼陶唐帥彼天常逸書言堯循天之常道釋夫楚昭王
知大道矣本或作天道非(夏)戶雅切此語在尚書五子之歌書無帥彼天常一句下亦微異　有此冀方今失
其行亂其紀綱乃滅而亡滅亡謂夏桀也唐虞及夏同都冀州不易地而亡由於不知大道故(行)如
字又下孟切尚書作厥道乃滅而亡尚書乃作底滅亡　又曰允出茲在茲由己率常可矣
又逸書言信出己則福亦在己○八月齊邴意茲來奔高國黨○陳僖子使召公子
陽生召在七月今在八月下記事之次　陽生駕而見南郭且于且于齊公子鉏在魯南郭(且)子
餘切　曰嘗獻馬於季孫不入於上乘故又獻此請與子乘之畏在家人
聞其言故欲二人共載以試馬為辭上(乘)繩證切　出萊門而告之故魯郭門也　闞止知之先
待諸外闞止陽生家臣子我也待外欲俱去(闞)苦暫切　公子曰事未可知反與壬也處
壬陽生子簡公　戒之遂行戒使無洩言(洩)息列切　逮夜至於齊國人知之故以昏至不欲
令人知之國人知而不言言陳氏得衆　僖子使子士之母養之隱於僖子家內子士母僖子妾　與
饋者皆入陳僖子又令陽生匿饋食之人入處公宮(饋)其位切　冬十月丁卯立之將盟盟諸
大夫　鮑子醉而往其臣差車鮑點點鮑牧臣也差車王車之官(差)所宜切(點)之廉切又如字　曰
此誰之命也陳子曰受命于鮑子遂誣鮑子曰子之命也見其醉故
誣之　鮑子曰女忘君之為孺子牛而折其齒乎而背之也孺子荼也景公
嘗銜繩為牛使荼牽之荼頓地故折其齒(女)音汝(折)之舌切又市列切(背)音佩　悼公稽首悼公陽生　曰吾子
奉義而行者也若我可不必亡一大夫言己可為君必不恐鮑子　若我不可
不必亡一公子公子自謂也恐鮑子殺己故要之　義則進否則退敢不唯子是
從廢興無以亂則所願也鮑子曰誰非君之子乃受盟言陽生亦君之
子固可立　使胡姬以安孺子如賴胡姬景公妾也賴齊邑安號也　去鬻姒荼之母(去)起呂切
殺王甲拘江說囚王豹于句竇之丘三子景公嬖臣荼之黨也(拘)音俱(說)音稅(句)音鉤
公使朱毛告於陳子朱毛齊大夫　曰微子則不及此然君異於器不
可以二器二不匱君二多難敢布諸大夫僖子不對而泣曰君舉
不信羣臣乎舉皆也　以齊國之困困又有憂內有飢荒之困又有兵革之憂　少君

不信章言乎 [illegible] 以齊國之困困又有憂 [illegible]

可以二語二 [illegible]

公使來 [illegible]

[illegible]

不可以訪是以求長君庶亦能容羣臣乎不然夫孺子何罪毛復命公悔之〔悔失言(少)詩照切(長)丁丈切(夫)音扶(孺)武作孺同〕毛曰君大訪於陳子而圖其小可也〔大謂國政小謂殺荼〕使毛遷孺子於駘不至殺諸野幕之下葬諸殳冒淳〔恐駘人不從故毛駐於野張帳而殺之駘齊邑殳冒淳地名實以冬殺經書秋者史書秋記始事遂連其死通以冬告魯(駘)他才切又徒來切(幕)音莫(殳)音珠(冒)亡報切(淳)音純(駐)中住切〕

經七年春宋皇瑗帥師侵鄭○晉魏曼多帥師侵衛○夏公會吳于鄫〔鄫今琅邪鄫縣(瑗)于眷切(鄫)本又作繒才陵切〕○秋公伐邾○八月己酉入邾以邾子益來〔他國言歸於魯言來內外之辭〕○宋人圍曹○冬鄭駟弘帥師救曹

傳七年春宋師侵鄭鄭叛晉故也〔定八年鄭始叛〕○晉師侵衛衛不服也〔五年晉伐衛至今未服〕○夏公會吳于鄫〔吳欲霸中國〕吳來徵百牢子服景伯對曰先王未之有也吳人曰宋百牢我〔是時吳過宋得百牢(牢)力刀切(過)古禾切〕魯不可以後宋且魯牢晉大夫過十〔晉大夫范鞅也本昭二十一年(後)如字又戶豆切〕吳王百牢不亦可乎景伯曰晉范鞅貪而棄禮以大國懼敝邑故敝邑十一牢之君若以禮命於諸侯則有數矣〔有常數〕若亦棄禮則有淫者矣〔淫過也〕周之王也制禮上物不過十二〔上物天子之牢(上)如字又時掌切〕以爲天之大數也〔天有十二次故制禮象之〕今棄周禮而曰必百牢亦唯執事吳人弗聽景伯曰吳將亡矣棄天而背本〔違周爲背本〕不與必棄疾於我〔欲棄凶疾來伐擊我〕乃與之大宰嚭召季康子〔嚭吳大夫〕康子使子貢辭大宰嚭曰國君道長〔蓋言君長於道路(長)丁丈切〕而大夫不出門此何禮也對曰豈以爲禮畏大國也〔畏大國不敢虛國盡行〕大國不以禮命於諸侯苟不以禮豈可量也寡君既共命焉其老豈敢棄其國大伯端委以治周禮仲雍嗣之斷髮文身贏以爲飾豈禮也哉有由然也〔大伯周大王之長子仲雍大伯弟也大伯仲雍讓其弟季歷俱適荆蠻遂有民衆大伯卒無子仲雍嗣立不能行禮致化故效其俗言其權時制宜以辟災害非以爲禮也端委禮衣也(共)音恭(大)音泰(斷)丁管切(贏)本又作裸力果切(效)戶孝切〕反自鄫以吳爲無能爲也〔棄禮知其不能霸也〕○季康子欲伐邾乃饗大夫以謀之子服景伯曰小所以事大信也大所以保小

不可以訪是以求長君庶亦能容群臣乎不然夫孺子何罪毛復命公悔之毛曰君大訪於陳子而圖其小可也使毛遷孺子於駘不至殺諸野幕之下葬諸殳冒淳

經七年春宋皇瑗帥師侵鄭○晉魏曼多帥師侵衛○夏公會吳于鄫○秋公伐邾○八月己酉入邾以邾子益來○宋人圍曹○冬鄭駟弘帥師救曹

傳七年春宋師侵鄭鄭叛晉故也○晉師侵衛衛不服也○夏公會吳于鄫吳來徵百牢子服景伯對曰先王未之有也吳人曰宋百牢我魯不可以後宋且魯牢晉大夫過十吳王百牢不亦可乎景伯曰晉范鞅貪而棄禮以大國懼敝邑故敝邑十一牢之君若以禮命於諸侯則有數矣若亦棄禮則有淫者矣周之王也制禮上物不過十二以為天之大數也今棄周禮而曰必百牢亦唯執事吳人弗聽景伯曰吳將亡矣棄天而背本不與必棄疾於我乃與之大宰嚭召季康子康子使子貢辭大宰嚭曰國君道長而大夫不出門此何禮也對曰豈以為禮畏大國也大國不以禮命於諸侯苟不以禮豈可量也寡君既共命焉其老豈敢棄其國大伯端委以治周禮仲雍嗣之斷髮文身臝以為飾豈禮也哉有由然也反自鄫以吳為無能為也○季康子欲伐邾乃饗大夫以謀之子服景伯曰小所以事大信也大所以保小

仁也背大國不信（大國吳也）伐小國不仁民保於城城保於德失二
德者危將焉保（二德信與仁也焉於虔切）孟孫曰二三子以為何如（怪諸大夫不言）
（指之故問）惡賢而逆之（孟孫賢景伯欲使大夫不逆其言惡猶安也惡音烏）對曰禹合諸侯於
塗山執玉帛者萬國（諸大夫對也諸侯執玉附庸執帛塗山在壽春東北）今其存者無數
十焉唯大不字小小不事大也（言諸侯相伐古來以然數所主切）知必危何故
不言（知伐邾必危自當言今不言者不危故也大夫以荅孟孫所怪且阿附季孫）魯德如邾而以眾
加之可乎（孫忿荅大夫今魯德無以忘邾但欲恃眾可乎言不可）不樂而出（季孟意異使直不同故罷）
（樂音岳又音洛）秋伐邾及范門（邾郭門也）猶聞鐘聲（邾不樂寤語魚呂切）大夫諫不
聽茅成子請告於吳（成子邾大夫茅夷鴻）不許曰魯擊柝聞於邾（言以近柝音託）
（以兩木相擊以行夜也字又作欜同聞音問又如字）吳二千里不三月不至何及於我且
國內豈不足（言足以距魯）成子以茅叛（高平西南有茅鄉亭）師遂入邾處其公
宮眾師晝掠（虜掠取財物也晝中救切掠音亮）邾眾保于繹（繹邾山也在鄒北繹縣繹音亦鄒側留
切）師宵掠以邾子益來（益邾隱公也書夜掠傳言康子無法）獻于亳社（以其亡國與亳同）
囚諸負瑕負瑕故有繹（負瑕魯邑高平南平陽縣西北有瑕丘城前者魯得邾之繹民使在負瑕故使）
（相就以辱之）邾茅夷鴻以束帛乘韋自請救於吳（無君命故言自乘繩證切）曰魯
弱晉而遠吳馮恃其眾（馮依馮皮冰切）而背君之盟辟君之執事（辟陋辟匹
亦切）以陵我小國邾非敢自愛也懼君威之不立君威之不立小
國之憂也若夏盟於鄫衍（鄫衍即鄫也鄫盟不書吳行夷禮禮儀不典非所以結信義故不錄）秋
而背之成求而不違（言魯成其所求無違逆也）四方諸侯其何以事君且魯
賦八百乘君之貳也（貳敵也魯以八百乘之賦貢于吳言其國大）邾賦六百乘君之
私也（為私屬）以私奉貳唯君圖之吳子從之（為明年吳伐我傳）○宋人圍
曹鄭桓子思曰宋人有曹鄭之患也不可以不救（桓諡）冬鄭師救
曹侵宋初曹人或夢眾君子立于社宮（社宮社也）而謀亡曹曹叔振
鐸請待公孫彊許之（振鐸曹始祖鐸待洛切彊其良切）旦而求之曹無之戒其
子曰我死爾聞公孫彊為政必去之及曹伯陽即位好田弋曹
鄙人公孫彊好弋獲白鴈獻之且言田弋之說說之因訪政事

仁也背大國不信伐小國不仁民保於城城保於德失二德者危將焉保 [illegible] 孟孫曰二三子以為何如 [illegible] 惡賢而逆之 [illegible] 對曰禹合諸侯於塗山執玉帛者萬國 [illegible] 今其存者無數十焉唯大不字小小不事大也 [illegible] 知必危何故不言 [illegible] 魯德如邾而以眾加之可乎 [illegible] 不樂而出 [illegible] 秋伐邾及范門猶聞鐘聲 [illegible] 大夫諫不聽茅成子請告於吳 [illegible] 不許曰魯擊柝聞於邾吳二千里不三月不至何及於我且國內豈不足 [illegible] 成子以茅叛師遂入邾處其公宮眾師晝掠邾眾保于繹 [illegible] 師宵掠以邾子益來獻于亳社 [illegible] 囚諸負瑕負瑕故有繹 [illegible] 邾茅夷鴻以束帛乘韋自請救於吳 [illegible] 曰魯弱晉而遠吳馮恃其眾而背君之盟辟君之執事以陵我小國邾非敢自愛也懼君威之不立君威之不立小國之憂也若夏盟於鄫衍秋而背之成求而不違四方諸侯其何以事君且魯賦八百乘君之貳也邾賦六百乘君之私也 [illegible] 以私奉貳唯君圖之吳子從之 [illegible] ○宋人圍曹鄭桓子思曰宋人有曹鄭之患也不可以不救冬鄭師救曹侵宋初曹人或夢眾君子立于社宮而謀亡曹曹叔振鐸請待公孫彊許之 [illegible] 旦而求之曹無之戒其子曰我死爾聞公孫彊為政必去之及曹伯陽即位好田弋曹鄙人公孫彊好弋獲白鴈獻之且言田弋之說說之因訪政事大說之

大說之有寵使為司城以聽政夢者之子乃行彊言霸說於曹伯曹伯從之乃背晉而奸宋宋人伐之晉人不救築五邑於其郊曰黍丘揖丘大城鍾邘爲明年入曹傳也邘梁國下邑縣西南有黍丘亭(好)呼報切(弋)以職切繳射也上(說)如字下(說)音悅邘大說同霸(說)如字又始銳切(奸)音干(揖)音集又於入切(邘)音于

經八年春王正月宋公入曹以曹伯陽歸曹人背晉而奸宋是以致討宋公旣還而不忍褚師之詬怒而反兵一舉滅曹滅非本志故以入告(褚)中呂切(詬)呼豆切○吳伐我○夏齊人取讙及闡不書伐兵未加而魯與之邑闡在東平剛縣北(讙)音歡(闡)尺善切○歸邾子益于邾○秋七月○冬十有二月癸亥杞伯過卒無傳未同盟而赴以名(過)古禾切○齊人歸讙及闡不言來命歸之無言使也(使)所吏切

傳八年春宋公伐曹將還褚師子肥殿子肥宋大夫(殿)丁練切曹人詬之不行詬辱詈也不行殿兵止也(詬)本又作訽呼豆切(詈)力智切師待之公聞之怒命反之遂滅曹執曹伯及司城彊以歸殺之終曹人之夢○吳為邾故將伐魯問於叔孫輒問可伐不輒故魯人(爲)于僞切叔孫輒對曰魯有名而無情有大國名無情實伐之必得志焉退而告公山不狃不狃亦故魯人(狃)女九切公山不狃曰非禮也君子違不適讎國違奔亡也未臣而有伐之奔命焉死之可也未臣所適之國告有伐本國者則可還奔命死其難(難)乃旦切所託也則隱曾所因託則爲之隱惡(曾)在增切且夫人之行也不以所惡廢鄉不以其私怨惡棄其鄉黨之好(夫)音扶(行)下孟切又如字(惡)烏路切又如字(好)呼報切下好焉同今子以小惡而欲覆宗國不亦難乎輒魯公族故謂之宗國(覆)芳服切若使子率子必辭王將使我子張病之子張輒也問於子洩子洩不狃(洩)息列切又作油對曰魯雖無與立緩時若無能自立必有與斃急則人人知懼皆將同死(斃)婢世切諸侯將救之未可以得志焉晉與齊楚輔之是四讎也與魯而四夫魯齊晉之脣脣亡齒寒君所知也不救何為三月吳伐我子洩率故道險從武城故由險道欲使魯成備釋文子洩率絕句故道險絕句初武城人或有因於吳竟田焉僑田吳界(竟)音境(僑)其驕切拘鄫人之漚菅者曰何故使吾水滋鄫人亦僑田吳滋濁也(拘)音俱(漚)烏豆切(菅)古顏切(滋)音玄本亦作茲子絲切字材云黑也及吳師至拘者道之以伐武城克之鄫人欲吳必可克(道)音導

[illegible]
有田一成有眾一旅能布其德[illegible]
而兆其謀以收夏眾[illegible]
撫其官職[illegible]
[illegible]

王犯嘗爲之宰澹臺子羽之父好焉國人懼王犯吳大夫故嘗奔魯爲武城宰澹臺子羽武城人孔子弟子也其父與王犯相善國人懼其爲內應澹待甘切應應對之應懿子謂景伯若之何對曰吳師來斯與之戰何患焉且召之而至又何求焉言犯盟伐邾所以召吳吳師克東陽而進舍於五梧明日舍於蠶室三邑魯地公賓庚公甲叔子與戰于夷獲叔子與析朱鉏公賓庚公甲叔子并析朱鉏爲三人皆同車析星歷切傳言之獻於王王曰此同車必使能國未可望也同車能俱死是國能使人故不可望得明日舍于庚宗遂次於泗上微虎欲宵攻王舍微虎魯大夫泗音四私屬徒七百人三踊於幕庭於帳前設格令士試躍之屬音燭幕二博切踊更百切令力呈切躍羊灼切卒三百人有若與焉卒終也終得三百人任行有若孔子弟子與在三百人中與音預任音壬及稷門之內三百人行至稷門或謂季孫曰不足以害吳而多殺國士不如已也乃止之吳子聞之一夕三遷畏微虎三息暫切吳人行成求與魯成將盟景伯曰楚人圍宋易子而食析骸而爨在宣十五年骸戶皆切本又作骨爨七亂切猶無城下之盟我未及虧而有城下之盟是棄國也吳輕而遠不能久將歸矣請少待之弗從景伯負載造於萊門以言不見從故負載書將欲出盟輕遣政切載如字或音戴造七報切萊音來乃請釋子服何於吳吳人許之以王子姑曹當之而後止釋舍也魯人不以盟爲了欲因留景伯爲質於吳既得吳之許復求吳王之子以交質吳人不欲留王子故遂兩止質音致復扶又切吳人盟而還不書盟恥吳夷○齊悼公之來也在五年季康子以其妹妻之即位而逆之季魴侯通焉魴侯康子叔父妻七計切魴音房女言其情弗敢與也齊侯怒夏五月齊鮑牧帥師伐我取讙及闡○或譖胡姬於齊侯胡姬景公妾曰安孺子之黨也六月齊侯殺胡姬傳言齊侯無道所以不終○齊侯使如吳請師將以伐我乃歸邾子齊未得季姬故請師也吳前爲邾討魯懼二國同心故歸邾子爲于僞切邾子又無道吳子使大宰子餘討之子餘大宰嚭囚諸樓臺栫之以棘栫雍也栫本又作荐在薦切雍於勇切使諸大夫奉大子革以爲政革邾大子桓公也爲十年邾子來奔傳○秋及齊平九月臧賓如如齊涖盟賓如臧會子齊閭丘明來涖盟明閭丘嬰之子也盟不書諱略之且逆季姬以歸嬖季姬魴侯所通者

○鮑牧又謂羣公子曰使女有馬千乘乎有馬千乘使爲君也鮑牧本不欲立陽生
故諷動羣公子(女)音汝(乘)繩證切(諷)方鳳切公子愬之公謂鮑子或譖子子姑居於
潞以察之路齊邑(愬)音素(潞)音路若有之則分室以行若無之則反子之
所出門使以三分之一行半道使以二乘及潞麇之以入遂殺
之麇亦束縛(麇)丘隕切○冬十二月齊人歸讙及闡季姒嬖故也
經九年春王二月葬杞僖公無傳三月而葬速○宋皇瑗帥師取鄭師
于雍丘書取覆而敗之雍丘縣屬陳留(雍)於勇切○夏楚人伐陳○秋宋公伐鄭○
冬十月
傳九年春齊侯使公孟綽辭師于吳齊與魯平故辭吳師(綽)昌灼切本又作卓同吳
子曰昔歲寡人聞命今又革之不知所從將進受命於君爲十年吳
伐齊傳○鄭武子賸之嬖許瑕求邑無以與之賸罕達也瑕武子之屬(賸)以證切
請外取許之瑕請取於他國故圍宋雍丘宋皇瑗圍鄭師許瑕師每日
遷舍作壘塹成輒徙舍合其圍(壘)力軌切(塹)七豔切壘合鄭師哭子姚救之大敗子姚武子
賸也二月甲戌宋取鄭師于雍丘使有能者無死借其能也以郟張與
鄭羅歸鄭之有能者(郟)古洽切又音甲○夏楚人伐陳陳即吳故也○宋公伐
鄭報雍丘○秋吳城邗溝通江淮於邗江築城穿溝東北通射陽湖西北至末口入淮通糧道也
今廣陵韓江是(邗)音寒(射)食亦切又音亦○晉趙鞅卜救鄭遇水適火水火之兆占諸史
趙史墨史龜皆晉史史龜曰是謂沈陽火陽得水故沈可以興兵兵陰類也故可
以興兵利以伐姜不利子商姜齊姓子商謂宋伐齊則可敵宋不吉史墨
曰盈水名也子水位也趙鞅姓盈宋姓子水盈坎乃行子姓又得北方水位名位敵不可
干也二水俱盛言不可干故炎帝爲火師神農有火瑞以火名官姜姓其後也水勝
火伐姜則可史趙曰是謂如川之滿不可游也既盈而得水位故爲如川之滿
不可馮游言其波流成(游)音由(馮)皮冰切鄭方有罪不可救也鄭以嬖寵伐人故以爲有罪救鄭
則不吉不知其他救鄭則當伐宋故不吉也陽虎以周易筮之遇泰䷊乾下坤上
之需䷄乾下坎上需泰六五變(需)音須曰宋方吉不可與也不可與戰泰六五曰帝乙歸妹
以祉元吉帝乙紂父五爲天子故稱帝乙陰而得中(以)似王者嫁妹得如其願受福祿而大吉(祉)音恥微子啓帝

○鮑牧又謂羣公子曰：使女有馬千乘乎？公子愬之。公謂鮑子：或譖子，子姑居於潞以察之。若有之，則分室以行；若無之，則反子之所。出門，使以三分之一行；半道，使以二乘；及潞，麇之以入，遂殺之。○冬十二月，齊人歸讙及闡，季姬嬖故也。

經九年春王二月，葬杞僖公。○宋皇瑗帥師取鄭師于雍丘。○夏，楚人伐陳。○秋，宋公伐鄭。○冬十月。

傳九年春，齊侯使公孟綽辭師于吳。吳子曰：昔歲寡人聞命，今又革之，不知所從，將進受命於君。○鄭武子賸之嬖許瑕求邑，無以與之。請外取，許之。故圍宋雍丘。宋皇瑗圍鄭師，每日遷舍，壘合。鄭師哭。子姚救之，大敗。二月甲戌，宋取鄭師于雍丘，使有能者無死，以郟張與鄭羅歸。○夏，楚人伐陳，陳即吳故也。○宋公伐鄭。○秋，吳城邗，溝通江淮。○晉趙鞅卜救鄭，遇水適火，占諸史趙、史墨、史龜。史龜曰：是謂沈陽，可以興兵，利以伐姜，不利子商。伐齊則可，敵宋不吉。史墨曰：盈，水名也；子，水位也。名位敵，不可干也。炎帝為火師，姜姓其後也。水勝火，伐姜則可。史趙曰：是謂如川之滿，不可游也。鄭方有罪，不可救也。救鄭則不吉，不知其他。陽虎以周易筮之，遇泰☰之需☰，曰：宋方吉，不可與也。微子啓，帝

乙之元子也宋鄭甥舅也宋鄭爲昏姻甥舅之國宋爲微子之祉後今一得帝乙之卦故以爲宋吉

祿也若帝乙之元子歸妹而有吉祿我安得吉焉乃止吉在彼則我伐之爲不吉○冬吳子使來儆師伐齊前年齊與吳謀伐魯齊既與魯成而止故吳恨之反與魯伐齊儆音景

經十年春王二月○邾子益來奔○公會吳伐齊書會從不與謀與音預○

三月戊戌齊侯陽生卒以疾赴故不書弒弒申志切○夏宋人伐鄭無傳○晉趙鞅帥師侵齊○五月公至自伐齊無傳○葬齊悼公無傳○衛公孟彄自齊歸于衛無傳書歸齊納之彄苦侯切○薛伯夷卒無傳赴以名故書○秋葬薛惠公無傳○冬楚公子結帥師伐陳○吳救陳季子不書陳人來告不以名

傳十年春邾隱公來奔齊甥也故遂奔齊終子貢之言○公會吳子邾子郯子伐齊南鄙師于鄎鄎齊地邾郯不書兵并屬吳不列於諸侯郯音談鄎音息注同用必政切齊人弒悼公赴于師以說吳弒申志切吳子三日哭于軍門之外徐承帥舟師將自海入齊齊人敗之吳師乃還徐承吳大夫○夏趙鞅帥師伐齊經書侵以侵告大夫請卜之趙孟曰吾卜於此起兵謂往歲卜伐宋不吉利以伐姜故今興兵事不再令再令瀆也卜不襲吉襲重也襲直龍切又直用切行也於是乎取犂及轅犂一名隰濟南有隰陰縣祝阿縣西有轅城犂力兮切又力之切轅音袁又于眷切隰音習本或作隰音同毀高唐之郭侵及賴而還○秋吳子使來復儆師伐齊未得志故爲明年吳伐齊傳復扶又切○冬公子期伐陳陳即吳故吳延州來季子救陳謂子期曰二君不務德二君吳楚而力爭諸侯民何罪焉我請退以爲子名務德而安民乃還季子吳王壽夢少子也壽夢以襄十二年卒至今七十七歲壽夢卒季子已能讓國年當十五六至今蓋九十餘夢音蒙少詩照切

經十有一年春齊國書帥師伐我○夏陳轅頗出奔鄭書名貪也頗破可切又普河切○五月公會吳伐齊○甲戌齊國書帥師及吳戰于艾陵齊師敗績獲齊國書公與伐而不與戰艾陵齊地艾五蓋切與音預○秋七月辛酉滕子虞母卒無傳赴以名故書之○冬十有一月葬滕隱公無傳○衛世叔齊出奔宋書名淫也

[illegible]

○冬吳子使來儆師伐齊 [illegible]

十年春王二月○邾子益來奔○公會吳伐齊 [illegible]

三月戊戌齊侯陽生卒 [illegible]

夏宋人伐鄭○晉趙鞅帥師侵齊 [illegible]

五月公至自伐齊○葬齊悼公 [illegible]

○衛公孟彄自齊歸于衛○薛伯夷卒 [illegible]

秋葬薛惠公 [illegible]

冬楚公子結帥師伐陳○吳救陳 [illegible]

十有一年春齊國書帥師伐我 [illegible]

夏陳轅頗出奔鄭 [illegible]

五月公會吳伐齊○甲戌齊國書帥師及吳戰于艾陵齊師敗績獲齊國書 [illegible]

秋七月辛酉滕子虞母卒 [illegible]

冬十有一月葬滕隱公○衛世叔齊出奔宋 [illegible]

傳十一年春齊爲郎故 郎在前年 爲于僞切 國書高無丕帥師伐我及清
清濟地濟北盧縣東有清亭 丕普悲切 季孫謂其宰冉求 冉求魯人孔子弟子 曰齊師在清
必魯故也若之何求曰一子守二子從公禦諸竟季孫曰不能
自度力不能使二子禦諸竟 守手又切 從才用切 禦魚呂切亦作御 竟音境 度待洛切 求曰居封疆之閒
封疆竟內近郊之地 疆居良切 季孫告二子 二子叔孫孟孫也 二子不可求曰若不可
則君無出一子帥師背城而戰不屬者非魯人也 屬臣屬也言不戰爲不臣
魯之羣室衆於齊之兵車 羣室都邑居家 一室敵車優矣子何患焉二
子之不欲戰也宜政在季氏 言二子恨季氏專政故不盡力 釋文二子之不欲戰也宜絕句 當
子之身齊人伐魯而不能戰子之恥也大不列於諸侯矣季孫
使從於朝 使冉求隨己之公朝 俟於黨氏之溝 黨氏溝朝中地名 黨音掌 武叔呼而問
戰焉 問冉求 對曰君子有遠慮小人何知懿子彊問之對曰小人
慮材而言量力而共者也 言子所問非己材力所及故不能言 彊其丈切 共音恭 武叔曰
是謂我不成丈夫也 知冉求非己不欲戰故不對 不成丈夫也本或作大夫非 退而蒐乘 蒐閱

爲所求切 乘繩證切 閱音悅 孟孺子洩帥右師 孺子孟懿子之子武伯彘 孺而住切 洩直利切 顏羽
御邴洩爲右 二子孟氏臣 邴音丙又彼命切 冉求帥左師管周人御樊遲爲右
樊遲魯人孔子弟子樊須 父音甫 季孫曰須也弱有子曰就用命焉 雖年少能用命 有子
冉求也 少詩照切 季氏之甲七千冉有以武城人三百爲己徒卒 步卒精兵
卒子忽切 老幼守宮次于雩門之外 南城門也 雩音于 五日右師從之 五日乃從
言不欲戰 公叔務人 務人公爲昭公子 見保者而泣 保守城者 曰事充 繇役煩 繇本亦作徭
同音遙 政重 賦稅多 上不能謀士不能死何以治民吾既言之矣敢
不勉乎 既言人不能死己不敢不死 師及齊師戰于郊齊師自稷曲 稷曲郊地名
師不踰溝樊遲曰非不能也不信子也請三刻而踰之 與衆三刻約信
如之衆從之 如樊遲言乃踰溝 師入齊軍 冉求之師 右師奔齊人從之 逐右師
陳瓘陳莊涉泗 二陳齊大夫 瓘古喚切 泗音四 孟之側後入以爲殿 之側孟氏族也子反
殿丁練切 抽矢策其馬曰馬不進也 不欲伐善 抽勅留切 策初革切本或作筴 林不狃之
伍曰走乎 不狃魯士五人爲伍敗而欲走 不狃曰誰不如 我不如誰而欲走 如如字又而庶切 曰

然則止乎不狃曰惡賢(言止戰惡足爲賢皆無戰志惡音烏)徐步而死(徐行而死言魯非無壯士但季孫不能使)師獲甲首八十(冉求所得)齊人不能師(不能整其師)宵諜曰齊人遁(諜間也諜音牒遁徒困切間間廁之間)冉有請從之三季孫弗許孟孺子語人曰我不如顏羽而賢於邴洩(三子與孟孺子同車與魚據切)子羽銳敏(子羽顏羽銳精也敏疾也言欲戰)我不欲戰而能默(心雖不欲口不言奔默本亦作嘿亡北切)洩曰驅之(言驅馬欲奔)公爲與其嬖僮汪錡乘皆死皆殯(皆俱也嬖必計切僮本亦作童音同汪烏黃切錡魚綺切乘繩證切)孔子曰能執干戈以衛社稷可無殤也(時人疑童子當殤殤音商八歲至十九歲爲殤)冉有用矛於齊師故能入其軍孔子曰義也(言能以義勇不書戰不皆陳也不書敗勝負不殊矛云侯切陳直覲切)

○夏陳轅頗出奔鄭初轅頗爲司徒賦封田以嫁公女(封內之田悉賦稅之)有餘以爲己大器(大器鍾鼎之屬)國人逐之故出道渴其族轅咺進稻醴粱糗腶脯焉(糗乾飯也咺況阮切醴音禮以稻米爲醴酒糗起九切以粱米爲之又昌紹切腶丁亂切字亦作鍛如薑桂曰脯也)喜曰何其給也對曰器成而具(具此醴糗)曰何不吾諫對曰懼先行(恐言不從先見逐)

○爲郊戰故公會吳子伐齊(欲以報也爲于僞切)五月克博壬申至于嬴(博嬴齊邑也二縣皆屬泰山嬴音盈)中軍從王(吳中軍)胥門巢將上軍王子姑曹將下軍展如將右軍(三將吳大夫)齊國書將中軍高無丕將上軍宗樓將下軍陳僖子謂其弟書爾死我必得志(書子占也欲獲死事之功)宗子陽與閭丘明相厲也(相勸厲至死子陽宗樓也)桑掩胥御國子(國子國書)公孫夏曰二子必死(亦勸勉之夏戶雅切)將戰公孫夏命其徒歌虞殯(虞殯送葬歌曲示必死殯必刃切)陳子行命其徒具含玉(子行陳逆也具含玉亦示必死行如字又戶郎切含戶暗切本又作唅)公孫揮命其徒曰人尋約吳髮短(約繩也八尺爲尋吳髮短欲以繩貫其首揮許韋切)東郭書曰三戰必死於此三矣(三戰夷儀五氏與今)使問弦多以琴(弦多齊人也六年奔魯問遺也遺唯季切)曰吾不復見子矣(言將死戰)陳書曰此行也吾聞鼓而已不聞金矣(鼓以進軍金以退軍不聞金言將死也傳言吳師彊齊人皆自知將敗)甲戌戰于艾陵展如敗高子(齊上軍敗)國子敗胥門巢(吳上軍亦敗)王卒助之大敗齊師獲國書公孫夏閭丘明陳書東郭書革車八百乘甲首三千以獻

子公公以兵從故以勞公卒子忽切乘繩證切從才用切又如字勞力報切將戰吳子呼叔孫叔孫
武叔州仇曰而事何也問何職對曰從司馬從吳司馬所命王賜之甲劍鈹曰
奉爾君事敬無廢命叔孫未能對衛賜進賜子貢孔子弟子鈹普悲切曰州
仇奉甲從君而拜拜受之公使大史固歸國子之元歸於齊也元首也吳以獻
魯寘之新篋褽之以玄纁褽薦也寘之豉切篋苦協切褽音尉或作褽以玄纁纁許云切本亦作熏
加組帶焉寘書于其上曰天若不識不衷何以使下國言天識不善故
殺國子組音祖衷音忠吳將伐齊越子率其衆以朝焉王及列士皆有饋
賂吳人皆喜唯子胥懼曰是豢吳也夫豢養也若人養犧牲非愛之將殺之饋其位切
或作餽賂音路豢音患夫音扶諫曰越在我心腹之疾也壤地同而有欲於我
欲得吳夫其柔服求濟其欲也不如早從事焉從事擊之得志於齊猶
獲石田也無所用之石田不可耕越不為沼吳其泯矣使醫除疾而
曰必遺類焉者未之有也盤庚之誥曰其有顛越不共則劓殄
無遺育無俾易種于茲邑盤庚商書也顛越不共從橫不承命者也劓割也殄絕也育長也俾使也

易種轉生種類沼之兆切泯亡彰切盤步干切誥古報切共音恭注同劓魚器切殄大典切俾必耳切種章勇切從子容切長
丁丈切是商所以興也今君易之將以求大不亦難乎弗聽使於
齊屬其子於鮑氏為王孫氏私使人至齊屬其子改姓為王孫欲以辟吳禍使所吏切屬音燭下
同反役王聞之使賜之屬鏤以死艾陵役也屬鏤劒名鏤力俱切又力侯切將死曰
樹吾墓檟檟可材也吳其亡乎三年其始弱矣盈必毀天之道
也越人朝之伐齊勝之盈之極也為十三年越伐吳起檟古雅切木名○秋季孫命脩守備曰小
勝大禍也齊至無日矣善有備守手又切○冬衛大叔疾出奔宋疾即齊也
初疾娶于宋子朝子朝宋人仕衛為大夫朝如字其娣嬖娣所娶女之娣子朝出奔孔
文子使疾出其妻而妻之疾使侍人誘其初妻之娣寘於犂犂衛
邑妻七計切犂力兮切而為之一宮如二妻文子怒欲攻之仲尼止之遂
奪其妻或淫于外州外州人奪之軒以獻外州衛邑軒車也以獻於君恥是
二者故出衛人立遺使室孔姞遺疾之弟孔姞孔文子之女疾之妻姞其乙切又其吉切疾
臣向魋為宋向魋臣魋徒回切納美珠焉與之城鉏城鉏宋邑宋公求珠魋不

與由是得罪及桓氏出（出在十四年）城鉏人攻大叔疾衛莊公復之（聽使還）使處巢死焉殯於鄖葬於少禘（終言疾之失所也巢鄖少禘皆衛地鄖音云少詩照切禘大計切）初晉悼公子憖亡在衛使其女僕而田（僕御田獵憖魚覲切一作整征領切）大叔懿子止而飲之酒（懿子大叔儀之孫飲於鴆切）遂聘之生悼子（悼子大叔疾聘匹政切）悼子即位故夏戊為大夫（夏戊悼子之甥夏戶雅切戊音茂）悼子亡衛人翦夏戊（翦削其爵邑）孔文子之將攻大叔也訪於仲尼仲尼曰胡簋之事則嘗學之矣（胡簋禮器名夏曰胡周曰簋簋音軌）甲兵之事未之聞也退命駕而行曰鳥則擇木木豈能擇鳥（以鳥自喻）文子遽止之曰圉豈敢度其私訪衛國之難也（圉文子名度謀也度待洛切下同難乃旦切遽其據切）將止（仲尼止）魯人以幣召之乃歸（於是自衛反魯樂正雅頌各得其所）○季孫欲以田賦（丘賦之法因其田財通出馬一疋牛三頭今欲別其田及家財各為一賦故言田賦別如字又彼列切）使冉有訪諸仲尼仲尼曰丘不識也三發（三發問）卒曰（卒終也）子為國老待子而行若之何子之不言也仲尼不對（不公答）而私於冉有曰君子之

行也（行政事）度於禮施取其厚事舉其中斂從其薄如是則以丘亦足矣（丘十六井出戎馬一疋牛三頭是賦之常法施尸豉切斂力豔切）若不度於禮而貪冒無厭則雖以田賦將又不足且子季孫若欲行而法則周公之典在若欲苟而行又何訪焉弗聽（為明年用田賦傳冒亡北切又莫報切厭於鹽切）

經十有二年春用田賦（直書之者以示改法重賦）○夏五月甲辰孟子卒（魯人諱娶同姓謂之孟子春秋不改所以順時娶本或作取七喻切又如字）○公會吳于橐皋（橐皋在淮南逡遒縣東南橐章夜切一音託逡音峻又七倫切遒音囚又音巡）○秋公會衛侯宋皇瑗于鄖（鄖發陽也廣陵海陵縣東南有發繇口繇音遙）○宋向巢帥師伐鄭○冬十有二月螽（周十二月今十月是歲置閏而失不置雖書十二月實今之九月司歷誤一月九月之初尚溫故得有螽螽音終）

傳十二年春王正月用田賦（終前年事）○夏五月昭夫人孟子卒昭公娶于吳故不書姓（諱娶同姓故謂之孟子若宋女）死不赴故不稱夫人（不稱夫人故不言薨）不反哭故不言葬小君（反哭者夫人禮也以同姓故不成其夫人喪）孔子與弔適季氏季氏不絻放經而拜（孔子始老故與弔也絻喪冠也孔子以小君禮往弔季孫不服喪故去經）

從主節制(輿)音預(縱)音問(絓)大結切(去)起呂切○公會吳于槖臯吳子使太宰嚭請尋盟尋鄫盟公不欲使子貢對曰盟所以周信也周固故心以制之制其義玉帛以奉之奉贄明神(贄)音至言以結之結其信明神以要之要以禍福(要)一遥切寡君以爲苟有盟焉弗可改也已若猶可改日盟何益今吾子曰必尋盟若可尋也亦可寒也尋重也寒歇也(重)直龍切(歇)許謁切乃不尋盟

○吳徵會于衛初衛人殺吳行人且姚而懼謀於行人子羽子羽衛大夫(且)子餘切子羽曰吳方無道無乃辱吾君不如止也子木曰吳方無道子木衛大夫國無道必棄疾於人吳雖無道猶足以患衛爲衛患也往也長木之斃無不摽也摽擊(斃)婢世切(摽)蕭切又普交切國狗之瘈無不噬也瘈狂也噬齧也(狗)音苟(瘈)吉世切或作猘切(噬)市制切(齧)五結切而況大國乎秋衛侯會吳于鄖公及衛侯宋皇瑗盟盟不書吳竊盟而卒辭吳盟吳人藩衛侯之舍藩籬(藩)方元切(籬)力知切子服景伯謂子貢曰夫諸侯之會事既畢矣侯伯致禮地主歸餼侯伯致禮以禮賓也地主所會主人也餼生物(餼)許氣切以相辭也以各禮相辭讓今吳不行禮於衛而藩其君舍以難之難苦困也(難)乃旦切子盍見大宰乃請束錦以行以賂吳(盍)戶臘切語及衛故若本不爲衛請者(爲)于僞切大宰嚭曰寡君願事衛君衛君之來也緩寡君懼故將止之止執子貢曰衛君之來必謀於其衆其衆或欲或否是以緩來其欲來者子之黨也其不欲來者子之讎也若執衛君是墮黨而崇讎也墮毀也(墮)許規切下同夫墮子者得其志矣且合諸侯而執衛君誰敢不懼墮黨崇讎而懼諸侯或者難以霸乎大宰嚭說乃舍衛侯衛侯歸效夷言子之尚幼子之公孫彌牟(說)音悅下同(舍)音捨釋也又音赦(效)戶教切曰君必不免其死於夷乎執焉而又說其言從之固矣出公輒後辛死於越○冬十二月螽季孫問諸仲尼仲尼曰丘聞之火伏而後蟄者畢火心星也火伏在今十月(螽)直立切今火猶西流司歷過也猶西流言未盡沒知是九月歷官失一閏釋例論之備○宋鄭之間有隙地焉隙地間田(隙)去逆切(間)閑一本作間地又如字音曰彌作頃丘玉暢喦戈錫凡六邑(彌)云支切又云爾切(喦)苦頳切又音傾(暢)勑亮切一本作壬暢(喦)五咸切(戈)古禾

○公會吳于橐皋，大宰嚭請尋盟。公不欲，使子貢對曰：盟所以周信也，故心以制之，玉帛以奉之，言以結之，明神以要之。寡君以為苟有盟焉，弗可改也已。若猶可改，日盟何益？今吾子曰必尋盟，若可尋也，亦可寒也。乃不尋盟。

○吳徵會于衛。初，衛人殺吳行人且姚而懼，謀於行人子羽。子羽曰：吳方無道，無乃辱吾君，不如止也。子木曰：吳方無道，國無道必棄疾於人。吳雖無道，猶足以患衛。往也！長木之斃，無不摽也；國狗之瘈，無不噬也；而況大國乎？

○秋，衛侯會吳于鄖。公及衛侯、宋皇瑗盟，而卒辭吳盟。吳人藩衛侯之舍。子服景伯謂子貢曰：夫諸侯之會，事既畢矣，侯伯致禮，地主歸餼，以相辭也。今吳不行禮於衛，而藩其君舍以難之，子盍見大宰？乃請束錦以行。語及衛故，大宰嚭曰：寡君願事衛君，衛君之來也緩，寡君懼，故將止之。子貢曰：衛君之來，必謀於其眾，其眾或欲或否，是以緩來。其欲來者，子之黨也；其不欲來者，子之讎也。若執衛君，是墮黨而崇讎也，夫墮子者得其志矣。且合諸侯而執衛君，誰敢不懼？墮黨崇讎，而懼諸侯，或者難以霸乎！大宰嚭說，乃舍衛侯。衛侯歸，效夷言。子之尚幼，曰：君必不免，其死於夷乎！執焉而又說其言，從之固矣。

○冬十二月，螽。季孫問諸仲尼。仲尼曰：丘聞之，火伏而後蟄者畢。今火猶西流，司歷過也。

○宋鄭之間有隙地焉，曰彌作、頃丘、玉暢、嵒、戈、錫。

子產與宋人爲成曰勿有是（俱棄之）（〔鍚〕音羊又星歷切）及宋平元之族自
蕭奔鄭（在定十五年）鄭人爲之城嵒戈錫（城以處平元之族〔爲〕于僞切）九月宋向
巢伐鄭取錫殺元公之孫遂圍嵒十二月鄭罕達救嵒丙申
圍宋師（此事經在十二月螽上今倒在下更具列其月以爲別者丘明本不以爲義例故不皆齊同〔別〕如字又彼列切）
經十有三年春鄭罕達帥師取宋師于嵒（書取覆而敗之）○夏許男成
卒（無傳〔成〕音城本或作戌）○公會晉侯及吳子于黃池（陳留封丘縣南有黃亭近濟水夫差
欲霸中國尊天子自去其僭號而稱子以告令諸侯故史承而書之〔近〕附近之近〔去〕起呂切〔僭〕子念切）○楚公子
申帥師伐陳（無傳）○於越入吳○秋公至自會（無傳）○晉魏曼多帥
師侵衞（無傳）○葬許元公（無傳）○九月螽（無傳書災）○冬十有一月有星
孛于東方（無傳平旦衆星皆沒而孛乃見故不言所在之次〔孛〕步內切〔見〕賢遍切）○盜殺陳夏區
夫（無傳稱盜非大夫〔夏〕戶侯切〔區〕烏侯切）○十有二月螽（無傳前年季孫雖聞仲尼之言而不正歷失閏
至此年故復十二月螽實十一月〔復〕扶又切）
傳十三年春宋向魋救其師（救前年圍嵒師）鄭子賸使徇曰得桓魋者
有賞魋也逃歸遂取宋師于嵒獲成讙郜延（二子宋大夫〔讙〕火官切〔郜〕古報切又古毒切）
以六邑爲虛（空虛之名不有〔虛〕如字或音墟非）○夏公會單平公晉定公
吳夫差于黃池（平公周卿士也不書尊之不與會〔單〕音善〔與〕音預）○六月丙子越子伐吳
爲二隧（隧道也〔隧〕音遂）疇無餘謳陽自南方（二子越大夫〔謳〕烏侯切）先及郊
大子友王子地王孫彌庸壽於姚自泓上觀之（觀越師泓水名〔泓〕烏宏切）彌
庸見姑蔑之旗（姑蔑越地今東陽大末縣〔蔑〕亡結切〔旗〕音其〔大〕音泰孟康云大音闥）曰吾父之旗
也（彌庸父爲越所獲故姑蔑人得其旌旗）不可以見讎而弗殺也大子曰戰而不
克將亡國請待之彌庸不可屬徒五千（屬會也〔屬〕音燭）王子地助之乙
酉戰彌庸獲疇無餘地獲謳陽越子至王子地守丙戌復戰大
敗吳師獲大子友王孫彌庸壽於姚（地守故不獲〔守〕手又切〔復〕扶又切）丁亥入
吳吳人告敗于王王惡其聞也（惡諸侯聞之〔惡〕烏路切）自剄七人於幕下
（以絕口〔剄〕古頂切）○秋七月辛丑盟吳晉爭先（爭歃血先後〔歃〕所洽切又所甲切）吳人
曰於周室我爲長（吳爲大伯後故爲長〔長〕丁丈切〔大〕音泰）晉人曰於姬姓我爲伯

子產與宋人為成曰勿有是○及宋平元之族自蕭奔鄭鄭人為之城嵒戈錫○九月宋向巢伐鄭取錫殺元公之孫遂圍嵒○十二月鄭罕達救嵒丙申圍宋師

經十有三年春鄭罕達帥師取宋師于嵒○夏許男成卒○公會晉侯及吳子于黃池○楚公子申帥師伐陳○於越入吳○秋公至自會○晉魏曼多帥師侵衛○葬許元公○九月螽○冬十有一月有星孛于東方○盜殺陳夏區夫○十有二月螽

傳十三年春宋向魋救其師鄭子賸使徇曰得桓魋者有賞魋也逃歸遂取宋師于嵒獲成讙郜延以六邑為虛○夏公會單平公晉定公吳夫差于黃池○六月丙子越子伐吳為二隧疇無餘謳陽自南方先及郊吳大子友王子地王孫彌庸壽於姚自泓上觀之彌庸見姑蔑之旗曰吾父之旗也不可以見讎而弗殺也大子曰戰而不克將亡國請待之彌庸不可屬徒五千王子地助之乙酉戰彌庸獲疇無餘地獲謳陽越子至王子地守丙戌復戰大敗吳師獲大子友王孫彌庸壽於姚丁亥入吳吳人告敗于王王惡其聞也自剄七人於幕下○秋七月辛丑盟吳晉爭先吳人曰於周室我為長晉人曰於姬姓我為伯

爲侯伯趙鞅呼司馬寅寅晉大夫曰日旰矣旰晚矣古旦切(旰)大事未成二臣
之罪也大事盟也二臣鞅與寅建鼓整列二臣死之長幼必可知也對曰
請姑視之反曰肉食者無墨墨氣色下今吳王有墨國勝乎國爲敵所勝
大子死乎且夷德輕不忍久請少待之少待無與爭(輕)遣政切乃先晉人
盟不書諸侯恥之故不錄吳人將以公見晉侯子服景伯對使者曰王合諸
侯則伯帥侯牧以見於王伯王官伯侯牧方伯上(見)如字又賢遍切(使)所吏切(下)(見)賢遍切伯
侯則侯帥子男以見於伯伯諸侯長自王以下朝聘玉帛不同
故敝邑之職貢於吳有豐於晉無不及焉以爲伯也今諸侯會
而君將以寡君見晉君則晉成爲伯矣敝邑將改職貢魯賦於
吳八百乘若爲子男則將半邾以屬於吳半邾三百乘(豐)芳中切(乘)繩證切下同
而如邾以事晉如邾六百乘且執事以伯召諸侯而以侯終之何利
之有焉吳人乃止既而悔之謂景伯欺之將囚景伯景伯曰何也立
後於魯矣何景伯名將以二乘與六人從遲速唯命遂囚以還及戶
戶牖陳留外黃縣西北東昏是(從)才用切(牖)音酉謂大宰曰魯將以十月上辛有事於
上帝先王季辛而畢何世有職焉有職於祭事自襄以來未之改也
魯襄公若不會祝宗將曰吳實然言魯祝宗將告神云景伯不會坐爲吳所囚吳人信鬼故以是
恐之(坐)才卧切(恐)丘勇切且謂魯不共而執其賤者七人何損焉大宰嚭言
於王曰無損於魯而祇爲名適爲惡名(共)音恭(祇)音支不如歸之乃歸景伯
吳申叔儀乞糧於公孫有山氏申叔儀吳大夫公孫有山魯大夫舊相識曰佩玉縈
兮余無所繫之縈然服飾備也已獨無以繫佩言吳王不恤下(縈)而捶切又而水切旨酒一盛兮
余與褐之父睨之一盛一器也睨視也褐寒賤之人言但得視不得飲(盛)音成又市政切(褐)戶葛切(父)音甫
(睨)五計切對曰梁則無矣麤則有之若登首山以呼曰庚癸乎則諾
軍中不得出糧故爲私隱庚西方主穀癸北方主水言吳子不與士共飢渴所以亡(麤)七奴切(呼)火故切傳王欲伐
宋殺其丈夫而囚其婦人直兩切本或作大夫誤以宋不會黃池故言吳人悖惑(悖)補內切(因)大
宰嚭曰可勝也而弗能居也乃歸○冬吳及越平終伍員之言
春秋左氏傳卷第二十九

趙鞅呼司馬寅曰：日旰矣，大事未成，二臣之罪也。建鼓整列，二臣死之，長幼必可知也。對曰：請姑視之。反曰：肉食者無墨。今吳王有墨，國勝乎？大子死乎？且夷德輕，不忍久，請少待之。乃先晉人。吳人將以公見晉侯，子服景伯對使者曰：王合諸侯，則伯帥侯牧以見於王；伯合諸侯，則侯帥子男以見於伯。自王以下，朝聘玉帛不同；故敝邑之職貢於吳，有豐於晉，無不及焉，以為伯也。今諸侯會，而君將以寡君見晉君，則晉成為伯矣，敝邑將改職貢：魯賦於吳八百乘，若為子男，則將半邾以屬於吳，而如邾以事晉。且執事以伯召諸侯，而以侯終之，何利之有焉？吳人乃止。既而悔之，將囚景伯。景伯曰：何也立後於魯矣，將以二乘與六人從，遲速唯命。遂囚以還。及戶牖，謂大宰曰：魯將以十月上辛有事於上帝先王，季辛而畢。何世有職焉，自襄以來，未之改也。若不會，祝宗將曰：吳實然。且謂魯不共，而執其賤者七人，何損焉？大宰嚭言於王曰：無損於魯，而祇為名，不如歸之。乃歸景伯。吳申叔儀乞糧於公孫有山氏，曰：佩玉繠兮，余無所繫之；旨酒一盛兮，余與褐之父睨之。對曰：梁則無矣，麤則有之。若登首山以呼曰：庚癸乎！則諾。王欲伐宋，殺其丈夫而囚其婦人。大宰嚭曰：可勝也，而弗能居也。乃歸○冬，吳及越平。

春秋左傳卷第二十九

春秋經傳集解哀下第三十

杜氏　盡二十七年

經十有四年春西狩獲麟麟者仁獸聖王之嘉瑞也時無明王出而遇獲仲尼傷周道之不興感嘉瑞之無應故因魯春秋而脩中興之教絕筆於獲麟之一句所感而作固所以為終也冬獵曰狩蓋虞人脩常職故不書狩者大野在魯西故言西狩得用曰獲狩手又切麟呂辛切又力珍切瑞獸也解見詩音瑞常恚切應應對之應中丁仲切○小邾射以句繹來奔射小邾大夫句繹地名春秋止於獲麟故射不在三叛人之數自此以下至十六年皆魯史記之文弟子欲存孔子卒故并錄以續孔子所脩之經射音亦句古侯切繹音亦○夏四月齊陳恒執其君寘于舒州寘之豉切○庚戌叔還卒無傳○五月庚申朔日有食之無傳○陳宗豎出奔楚無傳豎上主切○宋向魋入于曹以叛曹宋邑向舒亮切魋徒回切○莒子狂卒無傳狂其廷切○六月宋向魋自曹出奔衛○宋向巢來奔○齊人弒其君壬于舒州○秋晉趙鞅帥師伐衛無傳鞅於大切○八月辛丑仲孫何忌卒○冬陳宗豎自楚復入于陳陳人殺之無傳復扶又切○陳轅買出奔楚無傳○有星孛無傳不言所在史失之孛步內切○饑無傳

傳十四年春西狩於大野叔孫氏之車子鉏商獲麟大野在高平鉅野縣東北大澤是也車子微者鉏商名鉏仕居切以為不祥以賜虞人時所未嘗見故怪之虞人掌山澤之官仲尼觀之曰麟也然後取之言魯史所以得書獲麟○小邾射以句繹來奔曰使季路要我吾無盟矣子路信誠故欲得與相要誓而不須盟孔子弟子既續書魯策以繫於經丘明亦隨而傳之終於哀公以卒前事其異事則皆略而不傳故此經無傳者多要於妙切又一遙切使子路子路辭季康子使冉有謂之曰千乘之國不信其盟而信子之言子何辱焉對曰魯有事于小邾不敢問故死其城下可也彼不臣而濟其言是義之也由弗能濟成也乘繩證切年內同○齊簡公之在魯也闞止有寵焉簡公悼公陽生子壬也闞止子我也事在六年闞苦暫切及即位使為政陳成子憚之驟顧諸朝成子陳常心不安故數顧之憚大旦切驟仕救切數所角切諸御鞅言於公鞅齊大夫曰陳闞不可並也君其擇焉擇用一人弗聽子我夕夕視事陳逆殺人逢之陳逆子行陳氏宗也子我逢之遂執以入執逆至朝陳氏方睦

春秋經傳集解昭公第二十三

杜氏　盡二十七年

經十有四年春意如至自晉

欲謀齊國故宗族和使疾而遺之潘沐備酒肉焉使詐病因內潘沐并得內酒肉潘米汁可以沐
頭遺唯季切潘芳袁切沐音木汁之十切饗守囚者醉而殺之而逃子我盟諸陳於
陳宗失陳逆懼其友爲患故盟之初陳豹欲爲子我臣豹亦陳氏族使公孫言己
言己介達之介音界紹介也亦因也已有喪而止既而言之既終喪也曰有陳豹者長
而上僂肩背僂長如字又丁丈切僂力主切望視目望陽事君子必得志得君子意欲爲
子臣吾憚其爲人也恐多詐故緩以告子我曰何害是其在我也
使爲臣他日與之言政說遂有寵謂之曰我盡逐陳氏而立女
若何對曰我遠於陳氏矣言己疏遠說音悅女音汝遠如字又于萬切且其違者不
過數人違不從也數所主切何盡逐焉遂告陳氏子行曰彼得君弗先必
禍子子行舍於公宮子行逃而隱於陳氏今又隱於公宮夏五月壬申成子兄弟
四乘如公成子之兄弟昭子莊簡子齒宣子夷穆子安廩丘子意茲子芒盈惠子得凡八人二人共一乘廩力甚切
芒音亡子我在幄幄帳也聽政之處幄於角切處昌慮切出逆之遂入閉門成子入反閉門
不納子我侍人禦之子我侍人禦本亦作御魚呂切子行殺侍人素在內故得殺之公與婦
人飲酒于檀臺成子遷諸寢徙公使居正寢檀大丹切公執戈將擊之疑其欲作
亂大史子餘曰非不利也將除害也言將爲公除害大音泰爲于僞切下逆爲下注爲公
同成子出舍于庫以公怒故聞公猶怒將出曰何所無君子行抽劍
曰需事之賊也言需疑則害事需音須誰非陳宗言陳氏宗族衆多所不殺子者
有如陳宗言子若欲出我必殺子明如陳宗乃止子我歸屬徒攻闈與大門闈宮
中小門大門公門也屬之欲切闈音韋皆不勝乃出陳氏追之失道於弇中適豐
丘弇中狹路豐丘陳氏邑弇於檢切又音淹狹音洽豐丘人執之以告殺諸郭關齊關名
成子將殺大陸子方子方子我臣陳逆請而免之以公命取車於道
子方取道中行人車及耏衆知而東之知其矯命奪車遂使東耏音而矯本又作橋居表切出雍門
齊城門也雍於用切陳豹與之車弗受曰逆爲余請豹與余車余有私焉
事子我而有私於其讎何以見魯衛之士傳言陳氏務施施式氏切東郭賈
奔衛賈即子方庚辰陳恒執公于舒州公曰吾早從鞅之言不及此
悔不誅陳氏○宋桓魋之寵害於公恃寵驕盈公使夫人驟請享焉而將

討之（去人景公毋也數請享飲　欲因請討之數所角切）未及魋先謀公請以鞌易薄（鞌向
（魋邑薄公邑欲因易邑爲　公享宴而作亂鞌音安）公曰不可薄宗邑也（宗廟所在）乃益鞌七
邑而請享公焉（僞喜於受賜）以日中爲期家備盡往（甲兵之備）公知之告
皇野曰余長魋也（少長育之皇野司馬子　仲長丁丈切少詩照切）今將禍余請即救司
馬子仲曰有臣不順神之所惡也而況人乎敢不承命不得左
師不可（左師向魋兄向　巢也惡烏路切）請以君命召之左師每食擊鍾聞鍾聲
公曰夫子將食既食又奏（奏樂）公曰可矣以乘車往曰迹人來告
（主迹禽獸者　迹子亦切）曰逢澤有介麇焉（地理志言逢澤在熒陽開封縣　東北遠疑非介大也介音界麇
（九倫切獐也本　又作麋亡悲切）公曰雖魋未來得左師吾與之田若何（皇野稱　公命）
君憚告子（難以游戲煩大　臣憚乃旦切）野曰嘗私焉（嘗試也）君欲速故以乘車
逆子與之乘至公告之故拜不能起司馬曰君與之言（使公與　要誓）
公曰所難子者上有天下有先君（言難誅魋要不負　言使禍難及十）對曰魋之
不共宋之禍也敢不唯命是聽司馬請瑞焉（瑞符節　以發兵）以命其徒
攻桓氏（桓氏　向魋）其父兄故臣曰不可（司馬故臣與　桓魋無怨者）其新臣曰從吾
君之命遂攻之子頎騁而告桓司馬（子頎桓魋弟桓司馬即　魋也頎音祈騁勑領切）司
馬欲入（入攻　君）子車止之（車亦　魋弟）曰不能事君而又伐國民不與也
祇取死焉向魋遂入于曹以叛（八年宋滅曹以　爲邑祇音支）六月使左師巢
伐之欲質大夫以入焉（巢不能克魋恐公怒欲得國內　大夫爲質還入國質音致下同）不能亦
入于曹取質（不能得大夫故入曹劫曹　人子弟而質之欲以自固）魋曰不可既不能事君
又得罪于民將若之何乃舍之（舍曹子弟舍　音赦又音捨）民遂叛之向魋奔
衛向巢來奔宋公使止之曰寡人與子有言矣不可以絕向氏
之祀辭曰臣之罪大盡滅桓氏可也若以先臣之故而使有後
君之惠也若臣則不可以入矣司馬牛致其邑與珪焉而適齊
（牛桓魋弟也　珪守邑符信）向魋出於衛地公文氏攻之（公文氏　衛大夫）求夏后氏之
璜焉與之他玉而奔齊陳成子使爲次卿司馬牛又致其邑焉
而適吳（示不與魋同夏　戶雅切璜音黃）吳人惡之而反趙簡子召之陳成子亦

召之卒於魯郭門之外阮氏葬諸丘輿阮氏魯人也泰山南城縣西北有輿城錄其辛葬所在聽賢者失所惡烏路切阮苦庚切戚音剛輿音餘○甲午齊陳恒弒其君壬于舒州壬簡公也孔丘三日齊而請伐齊三公曰魯為齊弱久矣子之伐之將若之何對曰陳恒弒其君民之不與者半以魯之衆加齊之半可克也公曰子告季孫孔子辭辭不告齊側皆切一本又作齊曰如字又息暫切退而告人曰吾以從大夫之後也故不敢不言嘗為大夫而去故言後○初孟孺子洩將圉馬於成洩孟懿子之子孟武伯也圉畜養也成孟氏邑洩息列切圉魚呂切成宰公孫宿不受曰孟孫為成之病不圉馬焉病謂民貧困為于偽切孺子怒襲成從者不得入乃反成有司使孺子鞭之恨恚故鞭成有司之使人從才用切恚一瑞切○秋八月辛丑孟懿子卒成人奔喪弗內袒免哭于衢聽共弗許請聽命共使內如字又音納袒音但免音問衢其俱切共音恭懼不歸不敢歸成為明年成叛傳

經十有五年春王正月成叛○夏五月齊高無丕出奔北燕無傳丕普悲切○鄭伯伐宋無傳○秋八月大雩無傳雩音于○晉趙鞅帥師伐衛無傳○冬晉侯伐鄭無傳○及齊平魯與齊平○衛公孟彄出奔齊無傳彄苦侯切

傳十五年春成叛于齊武伯伐成不克遂城輸以偪成○夏楚子西子期伐吳及桐汭宣城廣德縣西南有桐水出白石山西北入丹陽湖汭如銳切陳侯使公孫貞子弔焉弔吳為楚所伐及良而卒良吳地將以尸入聘禮若賓死未將命則既斂於棺造於朝介將命斂力驗切造七報切介音界吳子使大宰嚭勞且辭曰以水潦之不時無乃廩然隕大夫之尸廩然傾動貌勞力報切又音老廩力甚切隕于敏切以重寡君之憂寡君敢辭上介芊尹蓋對蓋陳大夫貞子上介重直用切寡君敢辭上介絕句芊于付切曰寡君聞楚為不道荐伐吳國荐重也荐在徧切滅厥民人寡君使蓋備使弔君之下吏備猶副也使所吏切盡芊尹蓋辭同無祿使人逢天之慼大命隕隊絕世于良絕世猶言棄世廢日共積發行道之日以共具殯斂所積聚之用共音恭積子賜切又如字殯必刃切隊才喻切又如字一日遷次一日便遷次不敢留君命今君命逆使人曰無以尸造于門是我寡君之命委于草莽也且臣聞之曰事死如

生禮也於是乎有朝聘而終以尸將事之禮朝聘道死以尸行事(莽)亡黨切

又有朝聘而遭喪之禮遭所聘之喪若不以尸將命是遭喪而還也

無乃不可乎以禮防民猶或踰之今大夫曰死而棄之是棄禮

也其何以為諸侯主謂主盟也先民有言曰無穢虐士虐士死者備使奉

尸將命苟我寡君之命達于君所雖隕于深淵則天命也非君

與涉人之過也吳人內之傳言芋尹蓋知禮(內)如字又音納○秋齊陳瓘如楚

瓘陳恒之兄子玉也(瓘)古喚切過衛仲由見之(過)古禾切曰天或者以陳氏為

斧斤既斲喪公室而他人有之不可知也其使終饗之亦不可

知也饗受也(斲)陟角切(喪)息浪切下同若善魯以待時不亦可乎何必惡焉仲由

事孔子故為魯言(為)于偽切下為衛為請同子玉曰然吾受命矣子使告我弟弟成子也

○冬及齊平子服景伯如齊子贛為介見公孫成公孫成宰公孫宿也

曰人皆臣人而有背人之心況齊人雖為子役其有不貳乎言子

叛魯齊人亦將叛子(背)音佩子周公之孫也多饗大利猶思不義利不可得

而喪宗國將焉用之喪宗國謂以邑入齊使魯有危亡之禍(焉)於虔切成曰善哉吾不

早聞命傳言仲尼之徒皆忠於魯國陳成子館客使景伯子贛就館曰寡君使恒告

曰寡人願事君如事衛君言衛與齊同好而魯未肯(好)呼報切景伯揖子贛而進

之對曰寡君之願也昔晉人伐衛在定八年齊為衛故伐晉冠氏喪

車五百在定九年冠氏陽平館陶縣(冠)如字又古喚切因與衛地自濟以西禚媚杏以

南書社五百二十五家為一社籍書而致之(濟)子禮切(禚)諸若切吳人加敝邑以亂在八年

齊因其病取讙與闡亦在八年寡君是以寒心若得視衛君之事君

也則固所願也成子病之病其言也乃歸成公孫宿以其兵甲入于

嬴嬴齊邑(嬴)音盈○衛孔圉取大子蒯聵之姊生悝孔圉孔文子也蒯聵姊孔伯姬(圉)魚

呂切(蒯)苦怪切(聵)魚怪切(悝)苦回切孔氏之豎渾良夫長而美孔文子卒通於內

通伯姬(渾)戶門切(長)丁丈切又如字大子在戚孔姬使之焉使良夫詣大子所(使)所吏切又如字大

子與之言曰苟使我入獲國服冕乘軒三死無與冕大夫服軒大夫車三死

死罪三(與)音預與之盟為請於伯姬良夫為大子請閏月良夫與大子入舍

於孔氏之外圃（圃園圃布五切）昏二人蒙衣而乘（二人大子與良夫蒙衣爲婦人服也乘繩證切下同）寺人羅御如孔氏孔氏之老欒寧問之稱姻妾以告（自稱昏姻家妾繆力九切姻音因）遂入適伯姬氏既食孔伯姬杖戈而先大子與五人介輿豭從之（介被甲輿豭豚欲以盟迫直亮切又音丈豭音加被皮寄切）迫孔悝於廁彊盟之（孔氏專政故劫孔悝欲令逐輒孔悝本又作叔悝廁初吏切彊其丈切劫居業切令力呈切）遂劫以登臺欒寧將飲酒炙未熟聞亂使告季子（季子子路也爲孔氏邑宰炙章夜切）召獲駕乘車（召獲衛大夫駕乘車言不欲戰召上照切）行爵食炙奉衛侯輒來奔季子將入遇子羔將出（子羔衛大夫高柴孔子弟子將出奔）曰門已閉矣季子曰吾姑至焉（且欲至門）子羔曰弗及不踐其難（言政不及己可不須踐其難難乃旦切下皆同）季子曰食焉不辟其難（謂食孔氏祿）子羔遂出子路入及門公孫敢門焉（守門）曰無入爲也（言輒已出無爲復入復扶又切）季子曰是公孫也求利焉而逃其難由不然利其祿必救其患有使者出乃入（因門開而入使所吏切）曰大子焉用孔悝雖殺之必或繼之（言己必繼孔悝爲難攻大子焉於虔切）且曰大子無勇若燔臺半必舍孔叔大子聞之懼下石乞盂黶敵子路（二子蒯聵黨敵當也燔音煩舍音捨又如字盂音于黶於減切）以戈擊之斷纓子路曰君子死冠不免（不使冠在地斷丁管切）結纓而死孔子聞衛亂曰柴也其來由也死矣孔悝立莊公（莊公蒯聵也）莊公害故政欲盡去之（故政輒之臣去起呂切）先謂司徒瞞成曰寡人離病於外久矣子請亦嘗之歸告褚師比欲與之伐公不果（比褚師聲子爲明年瞞成奔起瞞莫干切褚中呂切）

經十有六年春王正月己卯衛世子蒯聵自戚入于衛○衛侯輒來奔（書此春皆從告）○二月衛子還成出奔宋（即瞞成還音旋）○夏四月己丑孔丘卒（仲尼既告老去位猶書卒者魯之君臣宗其聖德殊而異之魯襄二十二年生至今七十三也四月十八日乙丑無己丑己丑五月十二日日月必有誤釋文孔子卒孔子作春秋終於獲麟之一句公羊穀梁經是也弟子欲記聖師之卒故採魯史記以續夫子之經而終於此丘明因隨而作傳終於哀公從此已下無復經矣魯襄二十二年生至今七十三也本或作魯襄二十三年生至今七十二則與史記孔子世家異非本非也）

傳十六年春瞞成褚師比出奔宋（欲伐莊公不果而奔）○衛侯使鄢武子

舍於孔氏之外圃[illegible]昏二人蒙衣而乘[illegible]寺人羅御[illegible]如孔氏孔氏之老欒寧問之[illegible]稱姻妾以告[illegible]遂入適伯姬氏既食[illegible]孔伯姬杖戈而先大子與五人介輿豭從之[illegible]迫孔悝於廁強盟之遂劫以登臺[illegible]欒寧將飲酒炙未熟聞亂使告季子[illegible]召獲駕乘車行爵食炙奉衛侯輒來奔[illegible]季子將入遇子羔將出[illegible]曰門已閉矣季子曰吾姑至焉子羔曰弗及不踐其難[illegible]季子曰食焉不辟其難[illegible]子羔遂出子路入及門公孫敢門焉[illegible]曰無入為也季子曰是公孫也求利焉而逃其難由不然利其祿必救其患有使者出乃入[illegible]曰大子焉用孔悝雖殺之必或繼之[illegible]且曰大子無勇若燔臺半必舍孔叔[illegible]大子聞之懼下石乞盂黶敵子路[illegible]以戈擊之斷纓子路曰君子死冠不免結纓而死孔子聞衛亂曰柴也其來由也死矣[illegible]孔悝立莊公[illegible]莊公害故政欲盡去之[illegible]先謂司徒瞞成曰寡人離病於外久矣子請亦嘗之[illegible]歸告褚師比欲與之伐公不果[illegible]

經十有六年春王正月己卯衛世子蒯聵自戚入于衛衛侯輒來奔[illegible]二月衛子還成出奔宋[illegible]夏四月己丑孔丘卒[illegible]

傳十六年春[illegible]

[illegible]

告于周武子衛大夫肸也於虔切肸許乙切鄢曰蒯聵得罪于君父君母逋竄于
晉晉以王室之故不棄兄弟寘諸河上河上戚也逋布吳切竄七亂切寘之豉切天
誘其衷獲嗣守封焉使下臣肸敢告執事王使單平公對曰肸
以嘉命來告余一人往謂叔父余嘉乃成世復爾祿次敬之哉
繼父之世還居君之祿次衷音忠單音善余嘉乃成世絕句方天之休言天方受爾以休休許虯切美也弗
敬弗休悔其可追傳終蒯聵之事○夏四月己丑孔丘卒公誄之曰旻
天不弔不憖遺一老俾屏余一人以在位仁覆閔下故稱旻天弔至也憖且也俾使煢煢余在疚嗚
也屏蔽也誄力軌切說文云謚也旻亡巾切弔如字又音的憖魚覲切俾必爾切屏必領切呼哀哉尼父無自律疚病也律法也言喪尼父無以自為法煢求營切疚久又切父音甫喪息浪切子
贛曰君其不沒於魯乎夫子之言曰禮失則昏名失則愆失志
為昏失所為愆生不能用死而誄之非禮也稱一人非名也天子
稱一人非諸侯之名愆起虔切君兩失之○六月衛侯飲孔悝酒於平陽東郡燕縣
東北有平陽亭飲於鴆切重酬之大夫皆有納焉納財賄也醉而送之夜半而遣
之夜遣者惠負孔悝不欲令人見令力呈切載伯姬於平陽而行載其母俱去及西門平陽
門使貳車反祏於西圃使副車還取廟主西圃孔氏廟所在祏藏王石函祏音石圃布五切函音咸
子伯季子初為孔氏臣新登于公升為大夫請追之遇載祏者殺而
乘楚車子伯殺載祏者許公為反祏孔悝怪載祏者久不來使公為反逆之許公為如字人姓名反本亦
作返音同遇之曰與不仁人爭明無不勝不仁人謂子伯季子也明無不勝言必勝爭爭鬬之
爭必使先射射三發皆遠許為許為射之殪傳言子伯不仁所以死也射食亦切
下同發如字一音廢遠于萬切殪於計切或以其車從從公為從才用切又如字得祏於槖中孔
悝出奔宋槖音託○楚大子建之遇讒也自城父奔宋在昭十九年父音甫
又辟華氏之亂於鄭在昭二十年華戶化切鄭人甚善之又適晉與晉人
謀襲鄭乃求復焉鄭人復之如初晉人使諜於子木請行而期
焉請行襲鄭之期子木即建也諜徒協切子木暴虐於其私邑邑人訴之鄭人省
之得晉諜焉遂殺子木其子曰勝在吳子西欲召之葉公曰吾
聞勝也詐而亂無乃害乎葉公子高沈諸梁也葉始涉切子西曰吾聞勝也信

而勇不爲不利舍諸邊竟使衛藩焉（使爲藩屏之衛竟音境藩方元切）葉公曰
周仁之謂信（周親也）率義之謂勇（率行也）吾聞勝也好復言（言之所許必欲
復行之不顧道理好呼報切）而求死士殆有私乎（私謀復讎）復言非信也期死非
勇也（期必也）子必悔之弗從召之使處吳竟爲白公（白楚邑也汝陰襃信縣西
南有白亭）請伐鄭子西曰楚未節也（言楚國新復政令猶未得節制）不然吾不忘也
他日又請許之未起師晉人伐鄭楚救之與之盟勝怒曰鄭人
在此讎不遠矣（比子西於鄭人）勝自厲劍子期之子平見之曰王孫何
自厲也曰勝以直聞不告女庸爲直乎將以殺爾父平以告子
西子西曰勝如卵余翼而長之（以鳥爲喩女音汝卵來管切長丁丈切）楚國第（用士
之次第第大細切注同）我死令尹司馬非勝而誰勝聞之曰令尹之狂
也得死乃非我（言我必殺之若得自死我乃不復成人復扶又切）子西不悛勝謂石乞
（石乞勝之徒悛七全切）曰王與二卿士（二卿士子西子期）皆五百人當之則可矣
乞曰不可得也（五百人不可得）曰市南有熊宜僚者若得之可以當五
百人矣乃從白公而見之與之言說告之故辭（告欲作亂宜僚辭距之熊音雄
宜僚者本或作熊相宜僚相息亮切說音悅）承之以劍不動（拔劍指其喉喉音侯）勝曰不爲利
諂不爲威惕不洩人言以求媚者去之吳人伐慎白公敗之（汝陰
慎縣也爲于僞切諂勅檢切惕他歷切洩息列切又以制切）請以戰備獻（與吳戰之所得鎧仗兵器皆備而獻
之欲因以爲亂鎧苦代切仗直亮切）許之遂作亂秋七月殺子西子期于朝而劫
惠王子西以袂掩面而死（慙於葉公劫居業切袂彌世切）子期曰昔者吾以力
事君不可以弗終抉豫章以殺人而後死（以效其多力豫章大木抉烏穴切）石
乞曰焚庫弑王不然不濟白公曰不可弑王不祥焚庫無聚將
何以守矣乞曰有楚國而治其民以敬事神可以得祥且有聚
矣何患弗從葉公在蔡（蔡楚并州來其地聚才住切）方城之外皆曰可以入
矣子高曰吾聞之以險徼幸者其求無饜偏重必離（險猶惡也所求無饜
則不安譬如物偏重則離敗欲須其斃而討之徼古堯切饜於鹽切）聞其殺齊管脩也而後入（管脩
楚賢大夫故齊管仲之後聞其殺賢知其可討）白公欲以子閭爲王（子閭平王子啓五辭王者）子閭

[illegible]

……[五]百人矣乃從白公而見之與之言說告之故辭[illegible]

[illegible]

……王不祥焚庫無聚[illegible]

乞曰有楚國而治其民以敬事神可以得祥且有聚矣何患弗從[illegible]

葉公在蔡[illegible]方城之外皆曰可以入矣[illegible]

子高曰吾聞之以險徼幸者其求無饜偏重必離[illegible]

[illegible]白公欲以子閭爲王[illegible]

不可遂劫以兵子閭曰王孫若安靖楚國匡正王室而後庇焉啓之願也敢不聽從若將專利以傾王室不顧楚國有死不能不能從庇必利切又音秘遂殺之而以王如高府高府楚別府石乞尹門尹門為門尹圉公陽穴宮負王以如昭夫人之宮公陽楚大夫昭夫人王母越女圉魚呂切葉公亦至及北門或遇之曰君胡不冑國人望君如望慈父母焉盜賊之矢若傷君是絶民望也若之何不冑乃冑而進又遇一人曰君胡冑國人望君如望歲焉歲年穀也冑直又切日日以幾冀君來冀音冀本或作冀若見君面是得艾也艾安也艾魚廢切又五蓋切民知不死其亦夫有奮心猶將旌君以徇於國旌表也夫方于切或音扶方問切旌音精徇似俊切而文掩面以絶民望不亦甚乎乃免冑而進言葉公得民心遇箴尹固帥其屬將與白公欲與白公并箴之林切子高曰微二子者楚不國矣二子子西子期也柏舉之敗二子功多棄德從賊其可保乎乃從葉公使與國人以攻白公白公奔山而縊其徒微之微匿也與羊汝切一本作使與國人如字與謂與廢也縊一賜切微如字爾雅云匿

微也匿女力切王拘石乞而問白公之死焉對曰余知其死所而長者使余勿言長者謂白公也將音俱長丁丈切註同曰不言將亨乞曰此事克則爲卿不克則亨固其所也何害乃亨石乞王孫燕奔頯黃氏燕勝弟頯黃吳地亨普庚切燕烏賢切又烏練切頯求龜切求悲切沈諸梁兼二事二事令尹司馬國寧寧安也乃使寧爲令尹子西之子子國也使寬爲司馬子期之子而老於葉傳終言之葉始涉切

○衛侯占夢嬖人以能占夢見愛嬖必計切求酒於大叔僖子僖子大叔遺因音秦不得與卜人比而告公曰君有大臣在西南隅弗去懼害託占卜夢而言比毗志切去起呂切乃逐大叔遺遺奔晉衛侯謂渾良夫曰吾繼先君而不得其器若之何國之寶器輒皆將去良夫代執火者而言將密謀屏左右曰疾與亡君皆君之子也召之而擇材焉可也召輒若不材器可得也輒若不材可廢其身自得其器賢告大子大子疾大子使五人輿豭從己劫公而彊盟之盟求必立己豭音加彊其丈切且請殺良夫公曰其盟免三死盟在十五年曰請三之後有罪殺之公曰諾哉

傳十七年春衛侯爲虎幄於籍圃於籍田之圃新造幄幕皆以虎獸爲飾幄於角切幕武博
切成求令名者而與之始食焉大子請使良夫以良夫應爲今名釋文成絕句
求令名者絕句應應對之應良夫乘衷甸兩牡衷甸一轅卿車甸時證切說文作佃云中也春秋乘中佃
一轅車也牡茂后切紫衣狐裘紫衣君服至袒裘不釋劍而食食而熱故偏袒亦不敬袒音但
大子使牽以退數之以三罪而殺之二罪紫衣袒裘帶劍○三月越子伐
吳吳子禦之笠澤夾水而陳越子爲左右句卒句卒鉤伍相著別爲左右屯句
魚呂切笠音立夾居洽切陳直覲切句古侯切卒子忽切著直略切使夜或左或右鼓譟而進吳
師分以御之越子以三軍潛涉當吳中軍而鼓之吳師大亂遂
敗之左右句卒爲聲勢以分吳軍而三軍精卒并力擊其中軍故得勝也譟素報切并如字又必政切○晉趙
鞅使告于衛曰君之在晉也志父爲主請君若大子來以免志
父不然寡君其曰志父之爲也恐晉君爲志父教使不來衛侯辭以難大子
又使椓之椓訴父欲速得其處難乃旦切椓中角切處昌慮切夏六月趙鞅圍衛齊國觀
陳瓘救衛國觀國書之子觀工喚切下陳瓘音同得晉人之致師者子玉使服而

左三二

見之釋四服服其本服曰國子實執齊柄而命瓘曰無辟晉師豈敢廢命
欲必敵晉柄彼命切子又何辱言不須來致師自將往戰簡子曰我卜伐衛未卜與齊
戰乃還畏子玉○楚白公之亂陳人恃其聚而侵楚聚積聚也聚才住切下注
邑聚同積子賜切楚既寧將取陳麥楚子問師於大師子穀與葉公諸
梁子穀曰右領差車與左史老皆相令尹司馬以伐陳其可使
也言此二人皆嘗輔相子西子期伐陳今復可使使所類切相息亮切下而相同復扶又切子高曰率賤民
慢之懼不用命焉右領左史皆楚賤官率所類切本又作帥下同子穀曰觀丁父鄀俘
也武王以爲軍率楚武王鄀音若俘芳夫切是以克州蓼服隨唐大啓羣蠻
彭仲爽申俘也文王以爲令尹實縣申息楚文王滅申息以爲縣縣本又作郡音门
朝陳蔡封畛於汝開封畛北至汝水畛之忍切一音真唯其任也何賤之有子高
曰天命不諂諂疑也諂本又作謟佗刀切令尹有憾於陳十五年子西伐吳陳使貞子弔吳以
此爲恨憾本又作感戶暗切天若亡之其必令尹之子是與君盍舍焉舍右領與
左史盍戶臘切舍音捨又音赦臣懼右領與左史有二俘之賤而無其令德也

王卜之武城尹吉使帥師取陳麥陳人御之敗
遂圍陳秋七月己卯楚公孫朝帥師滅陳
○王與葉公枚卜子良以為令尹（子良惠王弟）
沈尹朱曰吉過於其志葉公曰王子而相國過將何為
他日改卜子國而使為令尹（子國寧也）○衛侯夢于北宮見人登
昆吾之觀（衛有觀在古昆吾氏之虛今濮陽城中）被髮北面而
譟曰登此昆吾之虛綿綿生之瓜余為渾良夫叫天無辜
公親筮之胥彌赦占之曰不害與之邑寘之而逃奔宋
衛侯貞卜其繇曰如魚竀尾衡流而方羊裔焉大國滅之將亡
闔門塞竇乃自後踰冬十月晉復伐衛
入其郛將入城簡子曰止叔向有言曰怙亂滅國者無後
衛人出莊公而與晉平晉立襄公之孫般師
而還十一月衛侯自鄄入般師出初公登城以望
見戎州問之以告公曰我姬姓也何戎之有焉
翦之公使匠久公欲逐石圃未及而難作
辛巳石圃因匠氏攻公公闔門而請弗許踰于北方
而隊折股戎州人攻之大子疾公子
青踰從公戎州人殺之公入于戎州己氏
初公自城上見己氏之妻髮美使髡之以為呂姜髢
既入焉而示之璧曰活我吾與女璧己
氏曰殺女璧其焉往遂殺之而取其璧衛人復公孫般師而立
之十二月齊人伐衛衛人請平立公子起執
般師以歸舍諸潞○公會齊侯盟于蒙

莞蒙陰縣西故蒙陰城也(敬)如字一本作鷔五報切又五刀切(莞)音官 孟武伯相齊侯稽首公拜齊人怒武伯曰非天子寡君無所稽首武伯問於高柴曰諸侯盟誰執牛耳執牛耳尸盟者(相)息亮切季羔曰鄫衍之役吳公子姑曹季羔高柴也鄫衍在七年(衍)以善切發陽之役衞石魋發陽鄖也在十二年石魋石曼姑之子(魋)徒回切(鄖)音云武伯曰然則彘也彘武伯名也鄫衍則大國執發陽則小國執據時執者無常故武伯自以為可執(彘)直例切

○宋皇瑗之子麇瑗宋右師(瑗)于眷切(麇)九倫切有友曰田丙而奪其兄酁般邑以與之酁般慍而行告桓司馬之臣子儀克克在下邑不與魋亂故在(酁)仕咸切(慍)紆問切怒也(與)音預子儀克適宋告夫人曰麇將納桓氏公問諸子仲子仲皇野初子仲將以杞姒之子非我為子為適子杞姒子仲妻(姒)音似(適)丁歷切麇曰必立伯也伯非我兄是良材子仲怒弗從故對曰右師則老矣不識麇也言右師老不能為亂麇則不可知公執之執麇皇瑗奔晉召之召令還(令)力呈切

傳十八年春宋殺皇瑗公聞其情復皇氏之族使皇緩為右師言宋景公無常也緩瑗從子(緩)戶管切(從)才用切

○巴人伐楚圍鄾鄾楚邑(鄾)音憂初右司馬子國之卜也觀瞻曰如志子國未為令尹時卜為右司馬得吉兆如其志觀瞻楚開卜大夫觀從之後故命之命以為右司馬及巴師至將卜帥王曰寧如志何卜焉寧子國也(帥)所類切使帥師而行請承承佐王曰寢尹工尹勤先君者也栢舉之役寢尹吳由于以背受戈工尹固執燧象奔吳師皆為先君勤勞(燧)音遂(為)于偽切三月楚公孫寧吳由于薳固敗巴師于鄾故封子國於析君子曰惠王知志知用其意(薳)于委切(析)星歷切夏書曰官占唯能蔽志昆命于元龜逸書也官占卜筮之官蔽斷也昆後也言當先斷意後用龜也(蔽)必世切尚書能作克亦能也昆命于元龜本依尚書(斷)丁亂切其是之謂乎志曰聖人不煩卜筮惠王其有焉不疑故不卜也

○夏衞石圃逐其君起起奔齊齊所立故衞侯輒自齊復歸逐石圃而復石魋與大叔遺皆蒯聵所逐

傳十九年春越人侵楚以誤吳也誤吳使不為備夏楚公子慶公孫寬追越師至冥不及乃還冥越地(冥)亡丁切

○秋楚沈諸梁伐東夷報越三夷男女及楚師盟于敖從越之夷三種敖東夷地(敖)五刀切(種)章勇切

○冬叔青如京

師敬王崩故也言敬王能終其世終萇弘言東王必大克叔青叔還子釋文敬王崩故也案傳敬王崩在此年世本亦爾世族譜云敬王四十二年崩敬王子元王十年春秋之傳終矣據此則敬王崩當在哀公十七年史記周本紀及十二諸侯年表敬王四十二年崩子元王仁立則敬王是魯哀十八年崩也六國年表起自元王及本紀皆云元王八年崩子定王介立定王元年是魯哀公之二十七年與杜預世族譜爲異又世本云魯哀公二十年是定王介崩子元王赤立則定王之崩年是魯哀公二十七年也衆說不同未詳其正也

傳二十年春齊人來徵會夏會于廩丘爲鄭故謀伐晉十五年晉伐鄭【廩】力甚切【爲】于僞切下爲降同鄭人辭諸侯秋師還終叔向言晉公室卑○吳公子慶忌驟諫吳子曰不改必亡弗聽吳子弗聽出居于艾艾吳邑豫章有艾縣【艾】五蓋切遂適楚聞越將伐吳冬請歸平越遂歸欲除不忠者以說于越吳人殺之言其不量力【說】如字又音悅十一月越圍吳趙孟降於喪食趙孟襄子無恤時有父簡子之喪楚隆曰三年之喪親暱之極也主又降之無乃有故乎楚隆襄子家臣【暱】女乙切趙孟曰黃池之役先主與吳王有質黃池在十三年先主簡子質盟信也【質】如字曰好惡同之今越圍吳嗣子不廢舊業而敵之嗣子襄子自謂欲敵越救吳非晉之所能及也吾是以爲降楚隆曰若使吳王知之若何趙孟曰可乎隆曰請嘗之嘗試也乃往先造于越軍曰吳犯間上國多矣聞君親討焉諸夏之人莫不欣喜唯恐君志之不從請入視之許之告于吳王曰寡君之老無恤使陪臣隆敢展謝其不共展陳也【造】七報切【間】間廁之間【夏】戶雅切【共】音恭黃池之役君之先臣志父得承齊盟曰好惡同之今君在難無恤不敢憚勞非晉國之所能及也使陪臣敢展布之王拜稽首曰寡人不佞不能事越以爲大夫憂拜命之辱與之一簞珠簞小笥【簞】音丹【笥】絲嗣切使問趙孟曰問遺也【遺】唯季切句踐將生憂寡人寡人死之不得矣王曰溺人必笑吾將有問也以自喻所問不急猶溺人不知所以爲而反笑【句】古侯切【溺】乃歷切史黯何以得爲君子晉史黯云不及四十年吳當亡吳王感問此也【黯】於減切對曰黯也進不見惡時行則行退無謗言時止則止【謗】博浪切王曰宜哉

傳二十一年夏五月越人始來越既勝吳欲霸中國始遣使適魯【使】所吏切○秋入

[illegible]

傳二十年春齊人來徵會[illegible]夏會于廩丘為鄭故謀伐晉[illegible]鄭人辭諸侯秋師還[illegible]吳公子慶忌驟諫吳子[illegible]曰不改必亡弗聽出居于艾[illegible]遂適楚聞越將伐吳冬請歸平越遂歸欲除不忠者以說于越吳人殺之[illegible]十一月越圍吳趙孟降於喪食[illegible]楚隆曰[illegible]三年之喪親暱之極也主又降之無乃有故乎趙孟曰黃池之役先主與吳王有質[illegible]曰好惡同之今越圍吳嗣子不廢舊業而敵之[illegible]非晉之所能及也吾是以為降[illegible]楚隆曰若使吳王知之若何趙孟曰可乎隆曰請嘗之乃往先造于越軍曰吳犯間上國多矣聞君親討焉諸夏之人莫不欣喜唯恐君志之不從請入視之許之告于吳王曰寡君之老無恤使陪臣隆敢展謝其不共[illegible]黃池之役君之先臣志父得承齊盟[illegible]曰好惡同之今君在難無恤不敢憚勞非晉國之所能及也使陪臣敢展布之王拜稽首曰寡人不佞不能事越以為大夫憂拜命之辱與之一簞珠使問趙孟[illegible]曰句踐將生憂寡人寡人死之不得矣[illegible]王曰溺人必笑吾將有問也[illegible]史黯何以得為君子[illegible]對曰黯也進不見惡[illegible]退無謗言[illegible]王曰宜哉[illegible]

傳二十一年夏五月越人始來[illegible]

月公及齊侯邾子盟于顧齊人責稽首責十七年齊侯爲公稽首不見荅顧齊地(爲)于
僞切年末汶注同因歌之曰魯人之皋數年不覺使我高蹈皋緩也高蹈猶遠行
也言魯人皋緩數年不知荅齊稽首故使我高蹈來爲此會(皋)古刀切(數)所主切(覺)音角又古孝切(蹈)徒報切唯其儒
書以爲二國憂二國齊邾也言魯據周禮不肯荅稽首令齊邾遠至(令)力呈切是行也公先至
于陽穀先期至也(先)悉薦切齊閭丘息曰君辱舉玉趾以在寡君之軍息閭
丘明之後羣臣將傳遽以告寡君比其復也君無乃勤爲僕人之未
次次舍也(傳)中戀切(遽)其據切(比)必利切請除館於舟道舟道齊地辭曰敢勤僕人不敢
勤齊僕爲會除館

傳二十二年夏四月邾隱公自齊奔越曰吳爲無道執父立子
越人歸之大子革奔越邾隱公八年爲吳所囚十年奔齊○冬十一月丁卯越
滅吳請使吳王居甬東甬東越地會稽句章縣東海中洲也(甬)音勇(會)古外切(稽)古兮切(句)九具切如
淳音构韋昭亦音构(洲)音州水中可居曰洲辭曰孤老矣焉能事君乃縊越人以歸
以其尸歸終史墨子胥之言也(焉)於虔切(縊)一賜切

傳二十三年春宋景曹卒景曹宋元公夫人小邾女季桓子外祖母季康子使冉有
弔且送葬曰敝邑有社稷之事使肥與有職競焉肥康子名競遽也(競)音頸
是以不得助執紼使求從輿人求冉有名輿衆也(紼)音弗(輿)音餘曰以肥之得
備彌甥也彌遠也康子父之舅氏故稱彌甥有不腆先人之產馬使求薦諸夫
人之宰薦進也(腆)他典切其可以稱旌繁乎稱舉也繁馬飾繁纓也終樂邾之言政在季氏(繁)步
干切○夏六月晉荀瑤伐齊荀瑤荀躒之孫知伯襄子(知)音智高無丕帥師御之
知伯視齊師馬駭遂驅之曰齊人知余旗其謂余畏而反也及
壘而還將戰長武子請卜武子晉大夫(御)魚呂切(壘)力軌切知伯曰君告于天
子而卜之以守龜於宗祧吉矣吾又何卜焉且齊人取我英丘
君命瑤非敢燿武也治英丘也治齊取英丘(守)手又切(祧)他彫切以辭伐罪足
矣何必卜壬辰戰于犂丘犂丘隰也(犂)力兮切(隰)音習本亦作濕齊師敗績知伯
親禽顏庚顏庚齊大夫顏涿聚(涿)丁角切○秋八月叔青如越始使越也越諸
鞅來聘報叔青也(使)所吏切

傳二十四年夏四月晉侯將伐齊使來乞師曰昔臧文仲以楚
師伐齊取穀 在僖二十六年 宣叔以晉師伐齊取汶陽 在成二年 汶音問 寡君
欲徼福於周公願乞靈於臧氏 以臧氏出勝齊故欲乞其威靈 徼古堯切 臧石帥師
會之取廩丘 石臧賓如之子 軍吏令繕將進 晉軍吏也繕治戰備 繕市戰切 萊章曰君
卑政暴 萊章齊大夫 萊音來 往歲克敵 禽顏庚 今又勝都 取廩丘 天奉多矣又
焉能進是躗言也 躗過也 奉扶用切 焉於虔切 躗戶快切 謂過謬之言 服云偽不信言也 字林作衞云夢言
意不慧也 音于例切 役將班矣晉師乃還餼臧石牛 生曰餼 餼許器切 大史謝之
晉大史 大音泰 曰以寡君之在行 在軍行 牢禮不度 不如禮度 敢展謝之 終臧氏有
後於魯 〇 邾子又無道越人執之以歸 終子贛之言 而立公子何何亦
無道 何大子革弟 〇 公子荊之母嬖 荊哀公庶子 嬖必計切 將以為夫子使宗
人釁夏獻其禮 宗人禮官也 釁許靳切 夏戶雅切 對曰無之公怒曰女為宗司
立夫人國之大禮也何故無之對曰周公及武公娶於薛 武公敖也
女音汝 娶七住切 孝惠娶於商 孝公稱惠公弗皇 商宋也 釋文孝惠娶於商 定公名宋 是哀公之人 故釁夏爲
諱而稱商也 稱尺證切又如字 自桓以下娶於齊 桓公始娶文姜 此禮也則有若以妾
為夫人則固無其禮也公卒立之而以荊為大子國人始惡之
惡公 惡烏路切 〇 閏月公如越得大子適郢 適郢越王大子得相親說也 郢以井切 適郢越王句
踐之大子名 說音悅 將妻公而多與之地公孫有山使告于季孫季孫懼
使因大宰嚭而納賂焉乃止 嚭故吳臣也季孫恐公因越討己故懼 妻七計切 嚭普美切 賂音路
傳二十五年夏五月庚辰衞侯出奔宋 衞侯輒也 衞侯為靈臺于藉
圃與諸大夫飲酒焉褚師聲子韈而登席 古者見君解韈 圃布五切 褚張呂切 韈亡
伐切 足衣也 見賢遍切 公怒辭曰臣有疾異於人 足有創疾 創初羊切 若見之君將
㱿之 㱿嘔吐也 㱿許角切又許各切 嘔於口切 吐他故切 是以不敢 不敢解韈 公愈怒大夫辭
之不可 共辭謝公 公不可解 褚師出公戟其手 抵徙手屈肘如戟形 抵音紙 肘竹九切 曰必
斷而足聞之褚師與司寇亥乘曰今日幸而後亡 恐死以得亡為幸 斷丁管切 乘時證切
公之入也奪南氏邑 南氏子南之子公孫彌牟 而奪司寇亥政公使
侍人納公文懿子之車于池 懿子公文要公有怨使人投其車于池水中 要一遥切 初衞

傳二十四年夏四月晉侯將伐齊使來乞師曰昔臧文仲以楚師伐齊取穀宣叔以晉師伐齊取汶陽寡君欲徼福於周公願乞靈於臧氏臧石帥師會之取廩丘軍吏令繕將進萊章曰君卑政暴往歲克敵今又勝都天奉多矣又焉能進是躗言也役將班矣晉師乃還餼臧石牛大史謝之曰以寡君之在行牢禮不度敢展謝之邾子又無道越人執之以歸而立公子何何亦無道○公子荊之母嬖將以為夫人使宗人釁夏獻其禮對曰無之公怒曰女為宗司立夫人國之大禮也何故無之對曰周公及武公娶於薛孝惠娶於商自桓以下娶於齊此禮也則有若以妾為夫人則固無其禮也公卒立之而以荊為大子國人始惡之○閏月公如越得大子適郢將妻公而多與之地公孫有山使告于季孫季孫懼使因大宰嚭而納賂焉乃止

傳二十五年夏五月庚辰衛侯出奔宋衛侯為靈臺于藉圃與諸大夫飲酒焉褚師聲子韤而登席公怒辭曰臣有疾異於人若見之君將㱧之是以不敢公愈怒大夫辭之不可褚師出公戟其手曰必斷而足聞之褚師與司寇亥乘曰今日幸而後亡公之入也奪南氏邑而奪司寇亥政公使侍人納公文懿子之車于池

人翦夏丁氏在十一年 夏戶雅切 以其帑賜彭封彌子彭封彌子子瑕 帑音奴 彌子

飲公酒納夏戊之女嬖以爲夫人其弟期大叔疾之從孫甥也

期夏戊之子 姊妹之孫爲從孫甥與孫同列 戊於嬌切 大音泰 從如字又才用切 少畜於公以爲司徒夫

人寵衰期得罪公使三匠久公使優狡盟拳彌優狡俳優也拳彌衛大夫使俳

優盟之欲恥辱也 少詩照切 優音憂 狡古卯切 拳音權 俳皮皆切 而甚近信之故褚師比戟登席者

之近 近附近 公孫彌牟喪邑者 喪息浪切 公文要失車者 司寇亥奪政者 司徒期

因三匠與拳彌以作亂皆執利兵無者執斤斤工匠所執 使拳彌入

于公宮信近之故得入 而自大子疾之宮譟以攻公鄄子士請禦之鄄子

士衛大夫 譟息報切 鄄音絹 禦魚呂切 彌援其手曰子則勇矣將若君何言不可救 援音

袁 不見先君乎君何所不逞欲先君蒯聵也亂不速奔故爲州所殺欲令早去 令力呈切

且君嘗在外矣豈必不反當今不可衆怒難犯休而易間也乃

出將適蒲蒲近晉邑 易以豉切 間間廁之間 下注內間君間同 彌曰晉無信不可將適鄄

鄄近齊晉界上邑 彌詐不知謀故公信之 彌曰齊晉爭我不可將適泠泠近魯邑 泠力丁切 彌

曰魯不足與請適城鉏城鉏近宋邑 鉏仕居切 以鉤越越有君宋南近越 轉相鉤牽

鉤古侯切 本或作拘同 乃適城鉏彌曰衛盜不可知也請速自我始乃載

寶以歸欲衛君言君以寶自隨將致衛盜請速行己爲先發而同載寶歸衛也 公爲支離之卒支離

陳名 卒子忽切 陳直覲切 因祝史揮以侵衛揮衛祝史 揮音暉 衛人病之懿子知之

知揮爲內間 見子之子之公孫彌牟文子也 請逐揮文子曰無罪懿子曰彼好

專利而妄妄不法 好呼報切 夫見君之入也將先道焉若見君有入勢必道助之 道音

導 若逐之必出於南門而適君所雖知其爲君間不審察 評音平又音病 夫

越新得諸侯將必請師焉揮在朝使吏遣諸其室難面逐之先遣其家 難乃旦切

揮出信弗內再宿爲信 內如字又音納 五日乃館諸外里外里公所在 遂有寵

使如越請師請師衛求入 ○六月公至自越前年行今還 季康子孟武伯

逆於五梧魯南鄙也 梧音吾 郭重僕爲公僕 重直龍切又直用切 見二子曰惡言多

矣君請盡之二子不臣之言甚多欲使公盡極以觀之 公宴於五梧武伯爲祝祝上壽酒

祝之六切又之又切 上時掌切 壽音授又音受 惡郭重曰何肥也訾毀其貌 惡烏路切 訾音紫 季孫

人翦夏丁氏以其帑賜彭封彌子彌子飲公酒納夏戊之女嬖以為夫人其弟期大叔疾之從孫甥也少畜於公以為司徒夫人寵衰期得罪公使三匠久公使優狡盟拳彌而甚近信之故褚師比公孫彌牟公文要司寇亥司徒期因三匠與拳彌以作亂皆執利兵無者執斤使拳彌入于公宮而自大子疾之宮譟以攻公鄄子士請禦之彌援其手曰子則勇矣將若君何不見先君乎君何所不逞欲且君嘗在外矣豈必不反當今不可眾怒難犯休而易間也乃出將適蒲彌曰晉無信不可將適鄄彌曰齊晉爭我不可將適泠彌曰魯不足與請適城鉏以鉤越越有君乃適城鉏彌曰衛盜不可知也請速自我始乃載寶以歸公為支離之卒因祝史揮以侵衛衛人病之懿子知之見子之請逐揮文子曰無罪懿子曰彼好專利而妄夫見君之入也將先道焉若逐之必出於南門而適君所夫越新得諸侯將必請師焉揮在朝使吏遣諸其室揮出信弗內五日乃館諸外里遂有寵使如越請師○六月公至自越季康子孟武伯逆於五梧郭重僕見二子曰惡言多矣君請盡之公宴於五梧武伯為祝惡郭重曰何肥也季孫

曰請飲彘也（飲罰也飲於鴆切）以魯國之密邇仇讎臣是以不獲從君
克免於大行又謂重也肥（言重隨君遠行劬勞不宜稱肥從才用切又如字劬其居切）公曰
是食言多矣能無肥乎（以激三桓之數食言激古歷切數所角切）飲酒不樂公與大夫
始有惡（爲二十七年公孫邾起樂音洛孫音遜本又作遜）
傳二十六年夏五月叔孫舒帥師會越皐如后庸宋樂茷納衛
侯（舒武叔之子文子也皐如后庸越大夫樂茷宋司城子潞衛侯輒也茷扶廢切）文子欲納之懿子曰
君愎而虐少待之必毒於民（愎很也愎皮逼切很胡懇切）乃睦於子矣（民睦）師
侵外州大獲（越納輒之師）出禦之大敗（衛師敗）掘褚師定子之墓焚之
于平莊之上（定子褚師比之父也平莊陵名也掘其勿切又其月切本或作猾胡忽切）文子使王孫
齊私於皐如（齊衛大夫王孫賈之子昭子也）曰子將大滅衛乎抑納君而已乎
皐如曰寡君之命無他納衛君而已文子致衆而問焉曰君以
蠻夷伐國國幾亡矣請納之衆曰勿納曰彌年亡而有益請自
北門出（欲以觀衆心幾音祈又音機）衆曰勿出重賂越人申開守陴而納公

（申重也開重門而嚴設守備欲以恐公故不敢入陴毗支切重直龍切守手又切恐丘勇切）公不敢入師還
立悼公（悼公蒯聵庶弟公子黚也黚其廉切）南氏相之以城鉏與越人公曰期則
爲此（司徒期也相息亮切）令苟有怨於夫人者報之（夫人期姊也怨期而不得加暴故敎宮女
令苦困期姊令力呈切）司徒期聘於越（爲悼公聘爲于僞切）公攻而奪之幣期告王（越
王也）王命取之期以衆取之公怒殺期之甥之爲大子者（忿期而及其姊
爲夫人者遂復及夫人之子復扶又切）遂卒于越（終言之也終效夷言死于夷）○宋景公無子
取公孫周之子得與啓畜諸公宮（周元公孫子高也得昭公也啓得弟畜養也）未有
立焉於是皇緩爲右師皇非我爲大司馬皇懷爲司徒（皇懷非我從昆
弟從才用切）靈不緩爲左師（不緩子靈圍龜之後）樂茷爲司城（茷樂溷之子溷戶門切又戶困
切）樂朱鉏爲大司寇（朱鉏樂輓之子鉏仕居切輓音晚）六卿三族降聽政（三族皇靈
樂也降和同也）因大尹以達（大尹近官有寵者六卿因之以自通達於君）大尹常不告而以
其欲稱君命以令（不告君也）國人惡之司城欲去大尹左師曰縱之
使盈其罪（盈滿也惡烏路切下注惡其同去起呂切）重而無基能無斃乎（言勢重而無德以爲

曰請飲彘也[illegible]以魯國之密邇仇讎臣是以不獲從君
克免於大行又謂重也肥[illegible]公曰
是食言多矣能無肥乎[illegible]飲酒不樂公與大夫
始有惡[illegible]
傳二十六年夏五月叔孫舒帥師會越皋如后庸宋樂茷納衛
侯[illegible]文子欲納之懿子曰
君愎而虐少待之必毒於民乃睦於子矣[illegible]師
侵外州大獲出禦之大敗[illegible]掘褚師定子之墓焚之
于平莊之上[illegible]文子使王孫
齊私於皋如[illegible]曰子將大滅衛乎抑納君而已乎
皋如曰寡君之命無他納衛君而已文子致眾而問焉曰君以
蠻夷伐國國幾亡矣請納之眾曰勿納曰彌牟亡而有益請自
北門出[illegible]眾曰勿出重賂越人申開守陴而納公
[illegible]公不敢入師還
立悼公[illegible]南氏相之以城鉏與越人公曰期則
為此[illegible]令苟有怨於夫人者報之
[illegible]司徒期聘於越公攻而奪之幣期告王
[illegible]王命取之期以眾取之公怒殺期之甥之為大子者
遂卒于越[illegible]宋景公無子
取公孫周之子得與啟畜諸公宮未有立焉[illegible]
於是皇緩為右師皇非我為大司馬皇懷為司徒
靈不緩為左師樂茷為司城樂朱鉏為大司寇[illegible]
六卿三族降聽政[illegible]因大尹以達[illegible]
大尹常不告而以其欲稱君命以令[illegible]國人惡之司城欲去大尹左師曰縱之
使盈其罪[illegible]重而無基能無敝乎[illegible]

基必敗也冬十月公游于空澤空澤宋邑辛巳卒于連中連中館名如字又音輦連大
尹與空澤之士千甲甲士千人興如字興發也或作與非奉公自空桐入如沃宮
奉公尸也梁國虞縣東南有地名空桐沃宮宋都内宮名沃烏毒切使召六子曰聞下有師君請
六子畫畫計策畫音獲六子至以甲劫之曰君有疾病請二三子盟乃
盟于少寢之庭曰無為公室不利大尹立啓奉喪殯于大宮三
日而後國人知之司城茷使宣言于國曰大尹惑蠱其君而專
其利令君無疾而死死又匿之是無他矣大尹之罪也言大尹所弑劫
居業切少詩照切大音泰蠱音古匿女力切弑申志切得夢啓北首而寢於盧門之外盧門
宋東門北首死象在門外失國也首手又切己為烏而集於其上咮加於南門尾加
於桐門曰余夢美必立桐門北門咮張又切鳥口大尹謀曰我不在盟少寢盟但
以君命盟六卿大尹不盟無乃逐我復盟之乎使祝為載書六子在唐盂地名
復扶又切盂音于將盟之祝襄以載書告皇非我襄祝名皇非我因子潞
子潞樂茂潞音路門尹得樂得左師謀曰民與我逐之乎皆歸授甲使徇
于國曰大尹惑蠱其君以陵虐公室與我者救君者也衆曰與
之大尹徇曰戴氏皇氏將不利公室戴氏即樂氏徇似俊切與我者無憂
不富衆曰無別惡其號令與君無別別彼列切戴氏皇氏欲伐公樂得曰公謂啓
不可彼以陵公有罪我伐公則甚焉使國人施于大尹施罪於大尹
大尹奉啓以奔楚乃立得司城為上卿盟曰三族共政無相害
也○衛出公自城鉏使以弓問子贛且曰吾其入乎子贛稽首
受弓對曰臣不識也私於使者曰昔成公孫於陳僖二十八年衞成公奔楚
遂適陳使所吏切孫音遜本亦作遜除孫莊子皆同甯武子孫莊子為宛濮之盟而君入
盟在僖二十八年甯乃定切宛於阮切濮音卜獻公孫於齊在襄十四年子鮮子展為夷
儀之盟而君入在襄二十六年今君再在孫矣謂十五年孫魯今又孫宋內不聞獻
之親外不聞成之卿則賜不識所由入也詩曰無競惟人四方
其順之詩周頌言無強惟得人也若得其人四方以為主為主四方而國於何有
傳二十七年春越子使后庸來聘且言邾田封于駘上欲使魯還邾田

冬十月公遊于空澤辛巳卒于連中大
尹興空澤之士千甲奉公自空桐入如沃宮
使召六子曰聞下有師君請
六子畫六子至以甲劫之曰君有疾病請二三子盟乃
盟于少寢之庭曰無為公室不利大尹立啟奉喪殯于大宮三
日而後國人知之司城茷使宣言于國曰大尹惑蠱其君而專
其利今君無疾而死死又匿之是無他矣大尹之罪也
得夢啟北首而寢於盧門之外
己為烏而集於其上咮加於南門尾加於桐門
曰余夢美必立大尹謀曰我不在盟無乃逐我復盟之乎
使祝為載書六子在唐盂將盟之
祝襄以載書告皇非我皇非我因子潞
門尹得左師謀曰民與我逐之乎皆歸授甲使徇
于國曰大尹惑蠱其君以陵虐公室與我者救君者也眾曰與
之大尹徇曰戴氏皇氏將不利公室與我者無憂不富眾曰無
別戴氏皇氏欲伐公樂得曰不可彼以陵公有罪我伐公則甚焉使國人施于大尹
大尹奉啟以奔楚乃立得司城為上卿盟曰三族共政無相害
也○衛出公自城鉏使以弓問子贛且曰吾其入乎子贛稽首
受弓對曰臣不識也私於使者曰昔成公孫於陳甯武子孫莊子為宛濮之盟而君入
獻公孫於齊子鮮子展為夷儀之盟而君入
今君再在孫矣內不聞獻
之親外不聞成之卿則賜不識所由入也詩曰無競惟人四方
其順之若得其人四方以為主而國於何有
傳二十七年春越子使后庸來聘且言邾田封于駘上

封竟至駘上駘他來切又音臺竟音境二月盟于平陽西平陽三子皆從季康子叔孫文子孟武伯皆從后庸盟從如字或才用切非也康子病之耻從夷盟言及子贛思子贛曰若在

此吾不及此夫不及與越盟夫音扶武伯曰然何不召曰固將召之文子曰他日請念言季孫不能用子贛臨難而思之難乃旦切○夏四月己亥季康子卒

公弔焉降禮禮不備也言公之多妄妄亡亮切本又作忘下放此○晉荀瑤帥師伐鄭次于桐丘鄭駟弘請救于齊弘駟歂子歂市專切齊師將興陳成子屬孤子

三日朝屬會死事者之子使朝三日以禮之屬音燭設乘車兩馬繫五邑焉乘車兩馬大夫服又加之五邑乘繩證切下同召顏涿聚之子晉曰隰之役而父死焉隰役在二十三年涿中角切隰音習以國之多難未女恤也今君命女以是邑也服車而

朝毋廢前勞乃救鄭及留舒違穀七里穀人不知害其整也留舒齊地違去也難乃旦切女音汝下同毋音無及濮雨不涉濮水自陳留酸棗縣傍河東北經濟陰至高平入濟傍蒲浪切濟子禮切子思曰大國在敝邑之宇下是以告急今師不行恐無及

也子思國參參七南切成子衣製杖戈製雨衣也衣於既切製音制杖直亮切又音丈立於阪上

馬不出者助之鞭之知伯聞之乃還畏其得衆心阪音反又扶版切曰我卜伐

鄭不卜敵齊使謂成子曰大夫陳子陳之自出陳之不祀鄭之罪也十七年楚滅陳非鄭之罪蓋知伯誣陳子故陳子怒謂其多陵人故寡君使瑤察陳衷焉衷善也衷音忠謂大夫其恤陳乎若利本之顛瑤何有焉言陳滅於己無傷成

子怒曰多陵人者皆不在知伯其能久乎中行文子告成子文子荀寅此時奔在齊行戶郎切曰有自晉師告寅者將為輕車千乘以厭齊師

之門則可盡也成子曰寡君命恒曰無及寡無畏衆雖過千乘敢辟之乎將以子之命告寡君成子疑其有為晉之心輕遣政切厭於甲切又於輒切為于僞切下為鄭同文子曰吾乃今知所以亡自恨己無知君子之謀也始衷終

皆舉之而後入焉謀一事則當慮此三變然後入而行之所謂君子三思三息暫切又如字今我三不知而入之不亦難乎悔其言不可復○公患三桓之侈也欲以諸侯去之欲求諸侯師以逐三桓侈昌氏切又尺氏切去起呂切下而去同三桓亦患公之妄也故

君臣多間間隙也公游于陵阪遇孟武伯於孟氏之衢曰請有問

[illegible] 二月盟于平陽 [illegible] 三子皆從 [illegible] 康子病之 [illegible] 言及子贛 [illegible] 曰若在此吾不及此夫 [illegible] 武伯曰然何不召曰固將召之文子曰他日請念 [illegible] ○夏四月己亥季康子卒公弔焉降禮 [illegible] ○晉荀瑤帥師伐鄭次于桐丘鄭駟弘請救于齊 [illegible] 齊師將興陳成子屬孤子 [illegible] 三日朝 [illegible] 設乘車兩馬繫五邑焉 [illegible] 召顏涿聚之子晉曰隰之役而父死焉 [illegible] 以國之多難未女恤也今君命女以是邑也服車而朝毋廢前勞 [illegible] 乃救鄭及留舒違穀七里穀人不知 [illegible] 及濮雨不涉 [illegible] 子思曰大國在敝邑之宇下是以告急今師不行恐無及也 [illegible] 成子衣製杖戈 [illegible] 立於阪上馬不出者助之鞭之知伯聞之乃還 [illegible] 曰我卜伐鄭不卜敵齊使謂成子曰大夫陳子陳之自出陳之不祀鄭之罪也 [illegible] 故寡君使瑤察陳衷焉 [illegible] 謂大夫其恤陳乎若利本之顛瑤何有焉 [illegible] 成子怒曰多陵人者皆不在知伯其能久乎 [illegible] 中行文子告成子曰有自晉師告寅者將為輕車千乘以厭齊師之門則可盡也 [illegible] 成子曰寡君命恆曰無及寡無畏眾雖過千乘敢辟之乎將以子之命告寡君 [illegible] 文子曰吾乃今知所以亡 [illegible] 君子之謀也始衷終皆舉之而後入焉 [illegible] 今我三不知而入之不亦難乎 [illegible] 公患三桓之侈也欲以諸侯去之 [illegible] 三桓亦患公之妄也故君臣多間 [illegible] 公遊于陵阪遇孟武伯於孟氏之衢曰請有問

於子余及死乎問己可得以壽死不對曰臣無由知之三問卒辭不對公
欲以越伐魯而去三桓秋八月甲戌公如公孫有陘氏有陘氏即有山
氏衢其俱切陘音刑因孫于邾乃遂如越國人施公孫有山氏以公從其家出故也
終子贛之言君不沒於魯因孫音遜下同○悼之四年晉荀瑤帥師圍鄭悼公哀公之子寧也
哀公出孫魯人立悼公未至鄭駟弘曰知伯愎而好勝早下之則可行也
行去也好呼報切一本作早下戶嫁切早乃先保南里以待之保守也南里在城外知伯入南
里門于桔柣之門鄭人俘酅魁壘酅魁壘晉士桔戶結切柣大結切俘芳夫切酅戶圭切魁
苦回切壘力軌切賂之以知政欲使反為鄭閉其口而死將門攻鄭門知伯謂
趙孟入之對曰主在此主謂知伯也言主在此何不自入知伯曰惡而無勇何
以為子惡貌醜也簡子廢嫡子伯魯而立襄子故知伯言其醜且無勇何故立以為子嫡丁歷切對曰以能
忍恥庶無害趙宗乎知伯不悛趙襄子由是惎知伯惎毒也悛七全切惎
其異切遂喪之知伯貪而愎故韓魏反而喪之史記晉哀公之四年魯悼公之十四
年知伯帥韓魏圍趙襄子於晉陽韓魏反與趙氏謀殺知伯於晉陽之下在春秋後二十七年喪息浪切

春秋左氏傳卷第三十

於子余及死乎（[illegible]）對曰臣無由知之三問卒辭不對公欲以越伐魯而去三桓秋八月甲戌公如公孫有陘氏（[illegible]）因孫于邾乃遂如越國人施公孫有山氏（[illegible]）

（[illegible]）○悼之四年晉荀瑤帥師圍鄭（[illegible]）未至鄭駟弘曰知伯愎而好勝早下之則可行也（[illegible]）乃先保南里以待之（[illegible]）知伯入南里門于桔柣之門鄭人俘酅魁壘（[illegible]）賂之以知政（[illegible]）閉其口而死將門知伯謂趙孟入之對曰主在此（[illegible]）知伯曰惡而無勇何以為子（[illegible]）對曰以能忍恥庶無害趙宗乎知伯不悛趙襄子由是惎知伯（[illegible]）遂喪之知伯貪而愎故韓魏反而喪之（[illegible]）

春秋左氏傳卷第三十